PIE.

Né à Lyon, d'origine grecque. Agrégé de l'Université. Poète et traducteur. Travaille actuellement à une Anthologie de la poésie latine. Auteur dramatique : premières pièces créées sous les auspices d'Antoine Vitez et de Xavier Pommeret au Théâtre des Quartiers d'Ivry et au Théâtre des Amandiers par le Centre Dramatique National de Nanterre. Créations à France-Culture et en région. Ouvrages illustrés par François Desnoyer et Jean Marais.

POÉSIE DE LANGUE LATINE

PARUS

TIBULLE

ÉLÉGIES

PRÉSENTATION ET TRADUCTION DU LATIN
PAR PIERRE MACRIS

ORPHÉE / LA DIFFÉRENCE

L'AMOUR ET LE SILENCE
par Pierre Macris

*Poète — offrir à inconnus des mo-
dèles de moments suprêmes, ou déli-
cieux, ou étranges, aussi bien séparés
des états vulgaires, et restitués ou
institués en toute pureté aussi nette-
ment que le langage possédé le
permet.*

Paul Valéry

Tibulle, Properce, Ovide sont, dans la deuxième moitié du Ier siècle avant Jésus-Christ, les grands représentants de l'élégie latine. L'œuvre de Gallus, leur maître, a totalement disparu ; et Catulle, à la génération précédente, leur avait dans une certaine mesure ouvert la voie. Mais le genre a ses origines chez les poètes grecs de l'école d'Alexandrie, et notamment leur chef : Callimaque, au IIIe siècle ; et bien avant eux, dans l'ancienne lyrique grecque. Les poètes du siècle d'Auguste ont fait de l'élégie une création vraiment originale, marquée du génie latin et très libérée de ses modèles. Properce, Ovide surtout, ont été soucieux de conserver les formes d'une érudition ou d'une rareté prônée par Callimaque. Tibulle, par contraste, apparaît aujourd'hui le plus singulier d'entre eux, le plus naturel, le plus proche [1]. Il nous touche par des accents si intensément

---

1. L'amour cesse d'être pour lui un prétexte à des développements mythologiques dans le ton de la tradition alexandrine. Chez Properce, la mythologie sert encore de référence prestigieuse à la peinture de la passion amoureuse. Plus du tout chez Tibulle où l'expression des sentiments est directe. Il est vrai que l'« attirail mythologique », comme l'appelle Marguerite Yourcenar, et sa vocation érudite auront plutôt contribué, avec le temps, à refroidir une grande part de la poésie antique.

7

personnels, si typiques déjà de ce que sera plus tard en Occident « la sensibilité élégiaque », qu'on ne peut s'empêcher de lui reconnaître une inspiration des plus authentique ; et l'on sait chez nous la valeur de cet imposant critère : pas de vrai poète sans la preuve d'une sincérité nécessaire à l'art.

L'élégie, à Rome, c'est d'abord un poème d'amour qui raconte les mille événements de la passion tragique ou triomphante ; c'est un chant et c'est une chronique. L'être aimé devient l'objet d'un culte, être divin tout autant que Muse : c'est de lui que le poète détient son inspiration. Varron de l'Aude chante Leucadie ; Catulle, Lesbie ; Calvus, Quintilie ; Gallus, Lycoris ; Properce, Cynthie ; Ovide, Corinne, etc. La recette, depuis, a fait fortune. Tibulle, lui, a chanté Délie, Marathus, Némésis et Glycère. L'histoire s'est attachée à ce « Roman de Délie » que constituent les cinq élégies déliennes, séquence-clé de toute l'œuvre. Mais l'élégie possède aussi une fonction pratique, c'est le poème utile par lequel s'attirer les grâces de l'être aimé pour une promesse de gloire : l'art confère l'éternité. Sous cet aspect, le moi de l'écrivain est censé s'investir d'une dimension pleinement autobiographique, et la production élégiaque a souvent le ton du journal intime, détenant une large part de sa poésie de son caractère confidentiel. On a souvent reproché aux élégiaques, à Tibulle en particulier, les lieux communs dont abondent leurs œuvres et qui sont dès lors en contradiction, pour nous, modernes, avec le principe de la vérité. Des thèmes circulent identiques, des uns aux autres, et d'abord puisés dans la tradition grecque. La scène de l'amant éconduit qui broie du noir devant la porte fermée de son amie, l'évocation amusée de tous les manèges de la tromperie par exemple sont héritées de la comédie hellénistique. Il n'est pas de récrimination contre les parvenus, l'argent, la corruption, les maquerelles ou la sorcellerie, pas d'éloge de la paix ou de l'âge d'or qui ne constituent autant de formules saturées dont la récurrence abâtardit les œuvres, sans compter les emprunts littéraux de tournures et d'expressions. Trop d'imitation, et le poète, au mieux, n'est qu'un plagiaire. Les *Elégies* de Tibulle seraient-elles des poèmes factices pour avoir, selon certains critiques, abusé parfois des conventions ? Mais c'est oublier que dans les créations de l'Antiquité, la valeur s'exprime moins en terme de singularité que de performance. Et puis la vérité, en art, n'est-elle pas toujours un effet ? L'authenticité la mieux reconnue n'est-elle pas d'abord l'éminent produit d'un savoir-faire ? En somme, il revient à Tibulle d'avoir normalement obéi à des tendances d'école (la « nouvelle vague » des poètes augustéens), mais d'avoir su dépasser les modèles qui lui étaient offerts par une intuition personnelle. L'influence est toujours le support de toute œuvre, elle atteste les lois d'un schéma culturel préexistant. La vraie vérité d'une œuvre résulte en dernier ressort de son équilibre interne, critère majeur de son efficace, et quel qu'en puisse être, au fond, le matériau : cet écart seul signale le grand écrivain [2] et Tibulle démontre justement que la nouveauté s'exprime moins en terme de contenu que par l'inscription de liaisons nouvelles entre ses divers constituants. Tibulle, par exemple, fut-il vraiment l'amant du jeune Marathus comme nous l'apprend sa poésie, ou bien n'avons-nous dans ce motif d'inspiration qu'un stéréotype de plus conforme à la tradition pédérastique alexandrine ? La question, souvent débattue, essentielle au sociologue du passé ou à l'historien, ne saurait en rien constituer un

---

2. « Rimbaud ne commence pas par écrire du Rimbaud informe, mais du Banville... », ou bien : « Un poète ne se conquiert pas sur l'informe, mais sur les formes qu'il admire. » Malraux, *L'Homme précaire et la littérature*, Gallimard, 1977, p. 155.

critère d'évaluation du degré d'originalité de notre poète. Que l'aventure soit artificielle ou non, il importe avant tout d'apercevoir quelle est sa fonction dans le mécanisme de l'œuvre, et comment peut s'organiser, par de telles contributions, le processus global et singulier de l'apport tibullien : c'est de sa logique propre et à ce niveau de synthèse que sa mystérieuse autorité tirera toutes ses chances d'être reconnue, et tout le bonheur de plaire. Notre époque et surtout nos institutions voudraient assez perfidement, dans leurs efforts en faveur de l'inculture, que les lettres antiques soient des lettres mortes, réservées au seul philologue. Un poète vieux de deux mille ans a-t-il encore quelque chose à nous dire ? Mais prétendre que des formes anciennes puissent légitimement passer pour révolues reviendrait à refuser par avance toute forme d'intérêt (autre qu'archéologique) et toute chance de pérennité aux productions présentes et futures, à ruiner l'élan de toute création. Quelle est donc — s'interroge le critique — « la capacité du renouvelable dans l'œuvre qui ne sera plus nouvelle » [3] ? En fait, les mots détruits, les messages perdus proclament très fort au contraire l'éternel et patient effort de leur impulsion créatrice, la vie bourdonnante dont leur mémoire morte est habitée. Même une œuvre réduite à rien crie ce rien de toutes ses forces. Et puis, il n'est pas de vérité transcendante à l'histoire des formes et des langages. Les documents du passé s'entassent, tout simplement. « Rien ne finit, tout change » dit le clown Calvero dans *Limelight* ; mais les œuvres qui s'éloignent dans le temps sont précieuses, justement, de leur précarité et de leur différence, car elles érigent un miroir du Temps, les traces vivantes de la temporalité ; et la poésie d'un Tibulle, parce qu'elle est bimillénaire et mieux sauvée de l'oubli

---

3. Jean Starobinski, « Présence des classiques ? », *Le débat*, numéro 54, mars-avril 1989, Gallimard, p. 19.

qu'une pâle relique, détient d'abord toute son émotion de cette prise de conscience.

Délie, dont Tibulle fait la connaissance quelque temps avant son départ pour le service militaire, est une jolie fille facile encore assez inexpérimentée et qui débute dans le libertinage. Tibulle, non dépourvu souvent d'une certaine pédagogie, l'incite à s'émanciper. Délie représente assez bien la condition des affranchies, à Rome, déjà bien avant la fin de la République : nombre d'entre elles vivent de leurs charmes. Elégantes, parfois artistes, elles fréquentent volontiers les milieux mondains et leur principal objectif est d'inspirer de vives passions aux fils de famille romains. Le « Roman de Délie », c'est surtout le récit d'un douloureux désenchantement : cette lente rupture inévitable dans l'amer déroulement de laquelle le poète concentre l'essentiel de ses émotions. Pour Tibulle, l'amour bientôt sans issue suscite le don de soi, l'héroïsme d'un désespoir que l'impuissance stimule, et jusqu'aux affres de l'auto-culpabilisation pourvu que l'amie reste parée d'innocence. Plus Délie le trompe, moins Tibulle veut voir son infamie, comme s'il s'agissait de préserver avant tout dans l'être aimé le symbole de l'amour parfait, fût-il totalement illusoire. On assiste dès lors à toutes les humiliations volontaires de l'amour fou, en des tableaux cruels autant qu'excessifs où la détresse se veut consolante : Délie perdue, Tibulle forge le souhait fervent et délirant d'une idyllique réconciliation pour figurer tous deux « un modèle d'amour » (« amoris exemplum », I, 6, 85-86) jusque dans la vieillesse. Les trois élégies consacrées, quelques années plus tard, à la passion dévastatrice pour la très vénale Némésis montrent mieux encore ce même désir de ne jamais altérer le portrait de cette chimère idéale qu'incarne toute femme aimée, fût-elle la plus méprisable. L'amant bafoué revendique par son propre avilissement le caractère

11

sacré de l'amour en toute femme. Fulgurante religion de l'amour ! Son slogan ? — « Quiconque aime d'amour est un être sacré... » (I, 2, 29-30) ; la fureur d'aimer permet d'atteindre à ses propres limites dans un exténuement des facultés qui porte nom d'extase et de plénitude. L'amant, s'il ose braver tous les dangers, s'avère invincible, invulnérable. Notons que la sensibilité du poète est déjà romantique, torturée, maladive, fondatrice d'une formidable poétique du désespoir dont les thèmes feront carrière : le vin, les tourments, les désillusions. Déjà le poète applaudit à des malheurs qui l'inspirent et qui constituent la première richesse de son art. Tibulle, comme on le voit, est déjà l'un des grands poètes de l'amour-passion par une sorte de dramatisation assez spectaculaire de ses sentiments. Ses élégies forment, à elles toutes, une sorte de grand poème infiniment modulé, puissamment construit, où les thèmes parfois les plus mêlés, les plus disparates, mais profondément soumis à l'unité du mouvement qui les joint, orchestrent le parcours de l'émotion, exaspérant parfois dans les murmures de l'incantation et dans le jeu des ruptures, les meilleures ressources du lyrisme. Properce, plus enclin à l'anecdote, n'atteint pas à cette dramatisation pathétique, de tant d'ampleur et si délicatement rythmée ; conduite en un style salué, dès l'Antiquité, par Velleius Paterculus pour sa « perfection formelle », et par Quintilien pour sa « pureté » et son « élégance » [4].

Pour Catulle ou Properce, l'amour reste une espèce de folie où les joies se saisissent fiévreusement dans l'ivresse de l'accomplissement charnel et de l'exubérance affective. Ils illustrent la passion amoureuse dans son traditionnel programme de malédiction : Properce ensorcelé crie en

---

4. Velleius Paterculus, *Histoire romaine* (II, 36, 3) ; Quintilien, *Institution oratoire* (X, 1, 93).

vain son désir de rompre ; et Catulle, dévoré d'amour autant que de haine, finit par insulter l'amie. Rien de tel chez Tibulle. Ses révoltes mêmes n'ignorent ni l'humour, ni l'autodérision : celui qui s'aventure dans les voies réprouvées de l'amour-passion s'expose à devenir la risée de tous parce qu'un tel amour est un peu ridicule. Mais la vraie nature de l'amour, pour Tibulle, est une perfection encore inconnue, seulement concevable dans l'apaisement, dans la tranquillité. Et le message de sa poésie consiste dans une intime et puissante aspiration à la douceur d'une vie commune où l'irrationnel de la passion, dans sa forme violente et déchirée, aurait totalement disparu [5]. La vie heureuse, ce serait n'exister qu'auprès de l'être aimé, à l'écart du monde, dans le refuge symbolique du lit familier, par exemple. Ce serait la vie retirée à la campagne, mais illuminée par la piété, comblée par les dons d'une nature généreuse. L'amour s'est refermé dans un rêve unique : l'amour total, la vie libre. Les anathèmes traditionnels lancés par les poètes lyriques contre les signes grandissants de la décadence publique, sont formulés dans les *Elégies* par les hyperboles suivantes : pas de villes, pas de propriété, pas de voies commerciales, pas de navigation, pas d'agriculture, rien de ce qui produit la richesse ; un stade minimal : pas de progrès, pas d'évolution. Surtout, la paix : plus de guerres, plus de violence suscitées par le luxe et le profit. Ainsi, l'imagerie sans doute naïve que le poète déploie de l'âge d'or, pour décorative ou facile qu'elle apparaisse, n'en traduit pas moins la condamnation lucide et vigoureuse d'une société à la dérive, celle du siècle des guerres civiles qu'Auguste voudra reprendre en main. Dans la formule tibulienne, le salut n'est possible qu'à

---

5. « Ah ! malheur à ceux que ce dieu presse violemment ! mais heureux celui pour qui, paisible, Amour souffle doucement. » Tibulle, II, I, 79-80. Traduction : Max Ponchont, Les Belles Lettres, 1926.

l'échelle individuelle, et le corollaire de l'amour parfait, c'est se couper du monde et des ambitions qu'il impose. Ainsi, le plus haut degré de la passion amoureuse s'épanouit dans la fascination qu'exerce l'être aimé : voie ouverte à la vie contemplative et merveilleux abîme d'inaction. « Qu'elle commande à tous et qu'elle ait soin de tout ! / O le bonheur de n'être rien près d'elle !... [6] » Chez Tibulle (et c'est une nouveauté poétique riche d'avenir) l'amour s'unit toujours à la nature en une vision édénique [7], où — pour emprunter à Cioran les expressions dont il qualifie l'âge d'or — le pur bonheur serait « plénitude sans événements », « volupté de l'instant invariable » et « délectation de l'identité » [8]. Cette plénitude rayonnante parce qu'immobile, conjuguant à la fois le plaisir et l'ascèse, est aussi un sommet de la vie intérieure ; l'inappartenance au monde et le refus de tout devenir confèrent à la jouissance passive un pouvoir d'universalité. L'amour n'est donc pas chez Tibulle une fin en soi. Sa mission est de réconcilier l'homme avec le sens d'une pureté originelle dont la nature est le signe, et de lui démontrer les voies de la sagesse dans le paisible écoulement des jours heureux. Ainsi la passion s'est accomplie en s'abolissant, elle a trouvé son parachèvement dans sa neutralisation même et la turbulence des désirs s'est reconvertie en élévation morale. On voit dans cette

---

6. I, 5 (29-30). Importance très significative de ces vers puisque Martial, au siècle suivant, confondant Délie avec Némésis, en retiendra l'idée dans ses *Epigrammes* : « La lascive Némésis embrassa son amant Tibulle qui mit son plaisir à n'être rien dans toute la maison. » (XIV, 193). Traduction : H.J. Izaac, Les Belles Lettres, 1961.

7. Jonction originale de l'inspiration amoureuse de l'élégie avec le décor pastoral de l'idylle de Théocrite, et même l'horizon rustique d'Hésiode dans *Les travaux et les jours* (voir Pierre Grimal, *Tibulle et Hésiode*, Entretiens sur l'Antiquité classique, Fondation Hardt, t. VII, Genève 1960).

8. Cioran, *Histoire et utopie*, Gallimard, 1960. Folio, p. 137.

évolution, naturellement, l'influence de l'épicurisme, très sensible à Rome en cette fin de la République [9] : si la félicité épicurienne s'obtient par le repos des sens et le repos de l'âme, il est certain que l'amour tibullien reste un amour sans histoire et que ses culminations les plus ferventes ne peuvent y durer que dans la clôture d'un intimisme des plus silencieux.

Mieux que les autres élégiaques augustéens, Tibulle formule la naissance d'une nouvelle façon d'aimer en Occident. La société romaine, très positive et très rationnelle dans l'ensemble de ses valeurs, est hostile par tradition à toute forme d'inquiétude amoureuse, facteur de déstabilisation et de faiblesse. Pour se protéger de la femme tant redoutée, elle en divise l'image : la mère ou la putain ; pour cette dernière, le désir ; pour l'épouse, une respectueuse tendresse : celle-ci, en effet, nécessairement chaste et pudique est d'abord, pour l'époux, la mère de famille, la mère de ses enfants, c'est-à-dire le pilier de tout l'édifice social ; à ce titre, elle est sacrée : c'est l'auguste matrone. Lucrèce n'a-t-il pas réduit l'amour à la seule physiologie du désir pour démontrer le caractère totalement fictif des sentiments ? Tibulle, donc, en réconciliant dans une figure unitaire les potentialités ancestralement dissociées de la femme, traduit une évolution de son temps : l'amour sanctifié, base du couple et fondateur du futur foyer, est ainsi promu à une dignité nouvelle. Tibulle exprime cette nouvelle sensibilité du couple jusque dans la tonalité si particulière de ses poèmes ; il demande à la femme d'être à la fois l'âme et la chair, la maîtresse et l'épouse, l'objet des sentiments et des désirs ; déjà sont préfigurées les futures crises du couple, tantôt transcendé

9. Pierre Grimal, « L'Epicurisme romain », *Actes du VIII⁰ congrès* de l'*Association Guillaume Budé*, Paris, Les Belles Lettres, 1969, pp. 139-168.

dans l'amour conjugal, tantôt déchiré par la difficulté d'accorder en lui ses antagonismes. Notons que cet amour, dans les *Elégies*, n'est jamais vécu, mais entrevu seulement, et formulé à titre de postulation : toutes les intuitions de Tibulle s'expriment sur le mode du souhait, et la poétique du désespoir alterne dans son œuvre, par un mouvement de caractère quasi pendulaire, avec celle de l'optatif. De là, cette impression, souvent relevée par la critique, que l'amour tibullien reste un peu fade ; ou que Délie, par exemple, a moins de personnalité concrète que la Cynthie de Properce ou la Lesbie de Catulle ; le poète tout simplement, dès le début même de leur liaison, idéalise à l'excès la femme qu'il aime au point d'en faire un être bientôt désincarné, de plus en plus vaporeux, de plus en plus lointain, pour tout dire improbable : la figure d'un rêve. La réalité, c'est que les êtres aimés : Délie, Némésis et sans doute Glycère, et Marathus, le jeune garçon, appartiennent au milieu de la prostitution où la vénalité tient lieu de contrat, où il n'est pas scandaleux de mentir, ni de multiplier les partenaires en des temps si relâchés que même l'épouse honorable s'adonne à des excès que la loi voudra bientôt contenir. Mais voilà, les professionnels de l'amour sont les seuls auxquels la passion d'un jeune et digne romain de rang équestre ou sénatorial puisse s'adresser. Et cet amour-là, profondément ressenti, va bientôt délivrer sa forme de vérité et de grandeur, — de vérité humaine et révolutionnaire. Tibulle imagine une vie à deux scellée par la fidélité, certes, et garantie par l'honneur ; mais fondée sur l'amour ignorant des lois, où l'être aimé serait un être nouveau, objet d'une mystique jamais formulée encore ; où les sens s'épanouiraient de plein droit dans l'exaltation la mieux accomplie de toutes les émotions sentimentales. Au seuil de l'Empire, à l'aube du christianisme, cet amour-passion est toujours un amour-scandale, mais il va définir dès le siècle suivant la nouvelle norme morale. La problématique tibulienne reflète un conflit des mœurs et des institutions de son temps. La compagne que le poète conçoit n'existe pas encore, et l'adieu qu'il fait à ses amours est moins un adieu à des êtres qu'à des rêves... de modernité.

Si Tibulle suggère volontiers les visions régressives de l'âge d'or, c'est que les temps présents sont haïssables : la tendance de la pensée romaine est au pessimisme et à la condamnation du monde civilisé. Un siècle de guerres civiles a détraqué la vie publique et les mœurs. Après Actium, la société romaine, sous l'impulsion d'Auguste, tente de retrouver son équilibre. A la différence d'un Properce hostile à tout engagement qui ne soit pas les seules délices de l'otium, rebuté par toute carrière autre qu'amoureuse et poétique, et réfractaire dans un premier temps à l'esprit national, Tibulle — qui a d'ailleurs participé très honorablement à des actions militaires — exprime, par son amour de la campagne, de la religion et de la paix, un optimisme parfois assez confiant dans l'avenir et n'est pas si éloigné qu'on croit de l'idéologie d'Auguste, prince dont cependant (pour des raisons personnelles ?) il ne cite jamais le nom. Et puis sa conception particulière de l'amour ne refuse pas de participer aux idées d'antan : l'épouse symbole du foyer, la pureté du mariage, la force du sentiment religieux et le retour à la terre coïncident assez bien avec certaines valeurs oubliées de l'ancienne Rome. L'Italie connaît l'exode rural. Il est vrai qu'elle s'est enrichie surtout par le commerce. Mais la terre romaine est le symbole des vertus ancestrales et c'est par sa réhabilitation que la dignité romaine sera restaurée. C'est ce que proclame hautement Virgile en l'an − 28, dans le chant II des *Géorgiques* où l'éloge de la vie champêtre est en même temps celui de l'Italie. Toute l'œuvre de Tibulle fait l'éloge de la campagne ; son authenticité paysanne ne fait aucun doute, même si l'évocation du monde rustique, un peu contaminée par l'idéalisation de l'amour dont elle est le cadre, apparaît parfois trop idyllique, bien que tout à fait dans le ton d'une certaine stylisation à la mode. Les *Elégies* font donc l'apologie de la terre et de la paix. Le poète honore en Osiris-Bacchus le père de l'agriculture et partage les bonheurs de la vie collective : l'admirable poème sur la fête de la campagne (II,1) est un hymne vibrant aux dieux de la campagne, garants de la prospérité du petit domaine familial. Par la revalorisation de la piété, Tibulle coïncide encore avec le rétablissement de la religion par Auguste. Horace, dans la sixième de ses « Odes civiques » (livre III), vers l'an − 28, avait stigmatisé l'impiété, source de la décadence et de tous les malheurs de Rome. Et l'on sait quelle énergie Auguste déploie dans son programme de rénovation des sanctuaires, dans son effort de barrage aux cultes orientaux. Et si Tibulle dénote une prédilection pour le culte des divinités rustiques et pour la religion domesti-que, il ne se fait pas moins le chantre, en temps opportun, du dieu d'Actium, c'est-à-dire du dieu d'Etat par excel-lence : Apollon Palatin. La superbe élégie en l'honneur de l'élection du fils de Messalla au collège des quindécimvirs conduit même Tibulle à imiter en Virgile le glorificateur de Rome, et à condenser, dans un petit tableau de style alexandrin, l'histoire des origines troyennes de Rome, siège du futur pouvoir universel.

« Rome dont je voudrais célébrer la grandeur... » (IV, I, 58) écrit Properce, qui, au moment d'abandonner l'élégie amoureuse et sur la pressante invitation de son ami Mécène, se dit tout entier au service de sa patrie et applaudit à la gloire du régime. Tibulle, apparemment, n'a jamais embouché la trompette augustéenne. A aucun moment, il ne fera l'éloge du nouveau maître sur le mode officiel de Virgile et d'Horace. Mais il n'en est pas moins, nous l'avons vu, un vrai patriote pour autant. Le cercle de Messalla auquel il appartient marque des distances à l'égard du Prince. Messalla lui-même, en matière philosophique, s'apparente au courant sceptique. Les deux amis se sont d'ailleurs simultanément signalés par le renoncement à la vie politique et militaire ; et Tibulle, par sa liberté, donne l'exemple d'un certain individualisme. L'autocratie égyptienne du IIIᵉ siècle avait suscité chez les poètes de l'école d'Alexandrie une poétique de l'art pour l'art. A leur imitation, les élégiaques latins incarnent à Rome la naissance de l'individu, les valeurs de la conscience individuelle, le triomphe de la subjectivité. On sait que l'Empire naissant mettra fin progressivement à la vie politique et fondera l'individu en tant que valeur-refuge et valeur-critique ; on sait que les épicuriens de Rome saluaient dans l'avènement d'Auguste le principe d'une monarchie éclairée à laquelle tendaient leurs aspirations, sous l'autorité de laquelle mettre à l'abri l'espace de la vie privée. Effectivement, le rayonnement de l'otium pouvait apparaître, dans ces conditions, comme l'un des précieux bénéfices de cette immense victoire sur le monde qu'a constituée la Pax Romana. Ainsi, le nouveau poète de l'amour qu'est Tibulle, s'il fut un partisan de la vie retirée, en doux épicurien vivant à l'écart du forum et des affaires publiques, n'offre pas moins, en même temps, l'image d'un vrai romain, capable malgré son dégoût des armes d'affronter la vie militaire ; de plus, éminemment ouvert à l'amitié : celle de Messalla est exemplaire. En outre, ses poèmes de circonstance (d'anniversaire notamment) traduisent une cordialité des plus réfléchie et des plus attachante.

Bien sûr, cette profonde aspiration à la pureté et à l'innocence qui traverse l'œuvre ne va pas sans l'idée d'un personnage au caractère assez indépendant. Horace [10] qui semble avoir bien connu Tibulle nous le dit enclin au chagrin, à la mélancolie, à des exagérations de tristesse. Il l'engage à se ressaisir, à jouir de la vie et demande ce que pourrait souhaiter de plus une nourrice pour son cher petit. Tibulle est, en effet, quelqu'un de célèbre et d'assez riche, c'est un homme jeune et séduisant : « Les dieux t'ont donné la beauté... », lui murmure le subtil Horace. Il mène une vie élégante et sans doute discrète, convaincu que l'honneur d'être envié ne convient qu'à des êtres vulgaires. Il vit à l'écoute de ses émotions mais c'est un sage, sensible à la fuite du temps, poursuivi par l'image de sa propre mort, ayant appris que l'art est le plus grand remède à tous les maux. Sa maison de campagne, à une trentaine de kilomètres à l'est de Rome, est proche de Tibur où habite Horace, lequel, en bon voisin, l'invite à venir le voir. Horace apprécie les qualités littéraires de son cadet, et Tibulle a porté des jugements appréciés sur les *Satires* du maître.

Qui ne voit que les rêves de pureté, de paradis perdu et de vertus primitives sont d'abord des rêves de culture, et qu'une ville aussi dépravée que Rome [11], en produisant le loisir et l'argent, a permis qu'une civilisation s'offre le luxe de l'esprit et la nostalgie tout aristocratique d'un retour à ses origines ?

---

10. Evocation de Tibulle dans l'Ode I, 33 et dans l'Epître I, 4.
11. Déjà bien avant les dires de Juvénal. Par exemple, et entre autres, Properce III, 12.

DIVITIAS alius fuluo sibi congerat auro
    et teneat culti iugera multa soli,
quem labor adsiduus uicino terreat hoste,
    Martia cui somnos classica pulsa fugent :
me mea paupertas uita traducat inerti,
    dum meus adsiduo luceat igne focus,
ipse seram teneras maturo tempore uites
    rusticus et facili grandia poma manu,
nec Spes destituat, sed frugum semper aceruos
    praebeat et pleno pinguia musta lacu.
Nam ueneror seu stipes habet desertus in agris
    seu uetus in triuio florida serta lapis [1] ;
et quodcumque mihi pomum nouus educat annus,
    libatum agricolae ponitur ante deo.
Flaua Ceres [2], tibi sit nostro de rure corona
    spicea, quae templi pendeat ante fores ;
pomosisque ruber custos ponatur in hortis,
    terreat ut saeua falce Priapus [3] aues ;
uos quoque, felicis quondam, nunc pauperis agri
    custodes, fertis munera uestra, Lares [4] ;
tunc uitula innumeros lustrabat caesa iuuencos,
    nunc agna exigui est hostia parua soli :
agna cadet uobis, quam circum rustica pubes

LA VIE HEUREUSE

Qu'un autre en blonds écus s'amoncelle un trésor
    Et possède un grand nombre de cultures :
Les dangers ennemis le travaillent de peines
    Et les clairons lui coupent le sommeil.
Moi, que ma pauvreté me fasse la vie douce
    Pourvu que le feu brille dans mon âtre,
Qu'en paysan je plante à la saison la vigne
    Et greffe habilement l'arbre fruitier ;
Puisse l'Espoir propice accroître mes récoltes,
    Et d'un moût onctueux remplir mes cuves ;
Car j'honore la souche isolée dans les champs,
    La pierre enguirlandée des carrefours ;
Et tout ce que de fruits m'accorde l'an nouveau,
    J'en porte au dieu rustique les prémices.
Pour toi, blonde Cérès, les épis de mes champs
    Couronneront la porte de ton temple,
Et mes vergers auront un Priape tout rouge
    Dont la faux cruelle effraiera l'oiseau ;
Vous aussi, protecteurs d'un domaine appauvri,
    Voici quels sont vos présents, mes dieux Lares :
Non pas d'un grand troupeau la génisse d'antan,
    Mais l'humble agnelle d'une terre étroite ;
Oui, pour vous, une agnelle ! Et qu'autour, la jeunesse

clamet « io ! messes et bona uina date. »
Iam modo iam possim contentus uiuere paruo
 nec semper longae deditus esse uiae,
sed Canis aestiuos ortus uitare sub umbra
 arboris ad riuos praetereuntis aquae ;
nec tamen interdum pudeat tenuisse bidentem
 aut stimulo tardos increpuisse boues ;
non agnamue sinu pigeat fetumue capellae
 desertum oblita matre referre domum.
At uos exiguo pecori, furesque lupique,
 parcite : de magno praeda petenda grege.
Hic ego pastoremque meum lustrare quot annis
 et placidam soleo spargere lacte Palem [5].
Adsitis, diui, nec uos e paupere mensa
 dona nec e puris spernite fictilibus :
fictilia antiquus primum sibi fecit agrestis
 pocula, de facili composuitque luto.
Non ego diuitias patrum fructusque requiro,
 quos tulit antiquo condita messis auo :
parua seges satis est, noto requiescere lecto
 si licet et solito membra leuare toro.
Quam iuuat immites uentos audire cubantem
 et dominam tenero continuisse sinu
aut, gelidas hibernus aquas cum fuderit Auster,
 securum somnos igne iuuante sequi !
Hoc mihi contingat : sit diues iure, furorem
 qui maris et tristes ferre potest pluuias.
O quantum est auri pereat potiusque smaragdi,
 quam fleat ob nostras ulla puella uias.

S'écrie : « Donnez-nous moissons et bons vins ! »
Ah ! puissé-je à présent vivre content de peu,
  Enfin délivré des marches guerrières,
Et fuir la canicule au matin de l'été,
  Sous un ombrage, au bord de l'eau courante...
Je ne rougirais pas d'emprunter une pioche
  Ou bien d'aiguillonner les bœufs tardifs,
Et je ramènerais volontiers dans mes bras
  L'agnelle ou le chevreau qu'oublie sa mère.
Et vous, loups et voleurs, épargnez mon bercail :
  Cherchez une proie dans un grand troupeau !
Ici, je purifie mon berger tous les ans,
  Et j'arrose de lait la douce Palès.
O dieux ! venez à moi, sans mépriser les dons
  De l'humble table et de la simple argile :
L'antique paysan fit ses coupes d'argile,
  Jadis, en usant d'une glaise souple.
Pour moi, je n'envie pas les biens de mes aïeux
  Ni tous les revenus de leurs récoltes :
Un bout de champ suffit, quand au lit familier
  Se trouve repos et délassement.
Qu'il est doux de son lit d'ouïr les vents sauvages
  Et d'avoir sa maîtresse dans les bras ;
Ou l'hiver, quand le vent verse ses eaux glacées,
  De s'endormir tranquille au coin du feu.
Voilà tout mon bonheur ! La fortune appartienne
  A qui brave pluies et mers déchaînées.
Ah ! périssent tout l'or, toutes les émeraudes,
  Avant qu'une amie pleure mes départs ;

Te bellare decet terra, Messalla, marique,
    ut domus hostiles praeferat exuuias [6] :
me retintent uinctum formosae uincla puellae,
    et sedeo duras ianitor [7] ante fores.
Non ego laudari curo, mea Delia : tecum
    dum modo sim, quaeso segnis inersque uocer ;
te spectem, suprema mihi cum uenerit hora,
    te teneam moriens deficiente manu.
Flebis et arsuro positum me, Delia, lecto,
    tristibus et lacrimis oscula mixta dabis ;
flebis : non tua sunt duro praecordia ferro
    uincta, nec in tenero stat tibi corde silex.
Illo non iuuenis poterit de funere quisquam
    lumina, non uirgo, sicca referre domum ;
tu manes ne laede meos, sed parce solutis
    crinibus et teneris, Delia, parce genis.
Interea, dum fata sinunt, iungamus amores :
    iam ueniet tenebris Mors adoperta caput ;
iam subrepet iners aetas, nec amare decebit,
    dicere nec cano blanditias capite.
Nunc leuis est tractanda Venus, dum frangere postes
    non pudet et rixas inseruisse iuuat ;
hic ego dux milesque bonus : uos, signa tubaeque,
    ite procul, cupidis uulnera ferte uiris,
ferte et opes ; ego composito securus aceruo
    dites despiciam despiciamque famem.

Toi, tu peux, Messalla, guerroyer par le monde
    Pour étaler chez toi les trophées ennemis :
Moi, je suis enchaîné dans les fers d'une belle,
    Esclave assis à sa porte cruelle.
Je ne veux pas la gloire, ô Délie, — mais toi-même ;
    Et qu'à ce prix l'on me traite de lâche.
C'est toi que je veux voir à mon heure dernière,
    Toi que ma faible main voudra tenir.
Tu pleureras, Délie, sur mon bûcher funèbre,
    Et tes baisers seront noyés de larmes ;
Tu pleureras : ton cœur n'est pas bardé de fer,
    Il est sensible, il n'est pas une pierre.
Pas un seul ne pourra, parmi les jeunes gens,
    Revenir sans pleurs de ces funérailles ;
Crains mes mânes, Délie, mais songe à épargner
    Tes cheveux dénoués et tes joues tendres.
Tant que dure la vie, unissons notre amour :
    La mort viendra, la tête dans la nuit ;
L'âge nous minera, et l'amour ne sied plus,
    Ni les mots doux, lorsque la tête est blanche.
Servons vite Vénus tant que briser des portes
    Est un exploit, tant qu'on goûte querelle ;
Là je suis bon guerrier. Vous, drapeaux et clairons,
    Portez des coups à ceux qui le désirent,
Faites-les tout puissants ! Moi, tranquille et pourvu,
    Je braverai les riches et la faim.

Adde merum uinoque nouos compesce dolores,
  occupet ut fessi lumina uicta sopor,
neu quisquam multo percussum tempora baccho
  excitet, infelix dum requiescit amor. ·
Nam posita est nostrae custodia saeua puellae,
  clauditur et dura ianua firma sera.
Ianua difficilis domini, te uerberet imber,
  te Iouis imperio fulmina missa petant.
Ianua, iam pateas uni mihi uicta querellis,
  neu furtim uerso cardine aperta sones,
et mala si qua tibi dixit dementia nostra,
  ignoscas ; capiti sint precor illa meo :
te meminisse decet quae plurima uoce peregi
  supplice, cum posti florida serta darem.
Tu quoque ne timide custodes, Delia, falle ;
  audendum est : fortes adiuuat ipsa Venus ;
illa fauet seu quis iuuenis noua limina temptat
  seu reserat fixo dente puella fores ;
illa docet molli furtim derepere lecto,
  illa pedem nullo ponere posse sono,
illa uiro coram nutus conferre loquaces
  blandaque compositis abdere uerba notis ;
nec docet hoc omnes, sed quos nec inertia tardat

PORTE CLOSE

Que le vin vienne à bout de mes douleurs nouvelles
    Et ferme mes yeux vaincus de fatigue,
Et qu'on ne songe pas à me tirer d'ivresse
    Durant le repos de mon triste amour.
Une garde intraitable assiège ma Délie,
    Et de durs verroux condamnent sa porte :
Sois fouettée par la pluie, porte d'un cruel maître,
    Que Jupiter te brise de sa foudre !
Allons, cède à ma plainte, ouvre-toi pour moi seul,
    Et sois discrète en tournant sur tes gonds.
Si je t'ai dit du mal, pardonne à ma folie,
    Que tout le mal retombe sur ma tête !
Souviens-toi seulement de toutes mes prières,
    Et de mes dons de guirlandes fleuries.
Toi, Délie, ne crains pas de tromper tes gardiens,
    Il faut oser ! Vénus aide l'audace :
Elle conduit l'amant qui tente un seuil nouveau,
    Ou bien l'amie qui lui ouvre la porte ;
Elle apprend à glissser d'une couche moelleuse
    Et à poser le pied sans aucun bruit,
Ainsi qu'à se parler, sous les yeux du mari,
    Par des signes qui cachent des mots tendres ;
Mais ses secours ne vont qu'aux amants pleins de fougue

nec uetat obscura surgere nocte timor.
En ego cum tenebris tota uagor anxius urbe,
....

nec sinit occurrat quisquam qui corpora ferro
    uulneret aut rapta praemia ueste petat.
Quisquis amore tenetur, eat tutusque sacerque
    qualibet : insidias non timuisse decet.
Non mihi pigra nocent hibernae frigora noctis,
    non mihi cum multa decidit imber aqua ;
non labor hic laedit, reseret modo Delia postes
    et uocet ad digiti me taciturna sonum.
Parcite luminibus, seu uir seu femina fiat
    obuia : celari uult sua furta Venus ;
neu strepitu terrete pedum neu quaerite nomen
    neu prope fulgenti lumina ferte face ;
si quis et imprudens aspexerit, occulat ille
    perque deos omnes se meminisse neget :
nam fuerit quicumque loquax, is sanguine natam,
    is Venerem e rapido sentiet esse mari [8].
Nec tamen huic credet coniunx tuus, ut mihi uerax
    pollicita est magico saga ministerio.
Hanc ego de caelo ducentem sidera uidi,
    fluminis haec rapidi carmine uertit iter,
haec cantu finditque solum manesque sepulcris
    elicit et tepido deuocat ossa rogo ;
iam tenet infernas magico stridore cateruas,
    iam iubet aspersas lacte referre pedem.
Cum libet, haec tristi depellit nubila caelo ;
    cum libet, aestiuo conuocat orbe niues.

Et qui n'ont pas peur d'affronter la nuit.
Quand je cours par la ville, à travers les ténèbres,
   Dans mon tourment, Vénus ne permet pas
Qu'un voyou me poignarde, au hasard des rencontres,
   Ou se fasse un butin de mes habits.
Quiconque aime d'amour est un être sacré
   Qui peut aller partout sans nulle crainte.
Moi, je ne souffre pas du gel des nuits d'hiver,
   Ni même de la pluie qui tombe à verse ;
Ces maux ne me sont rien, pourvu que ma Délie
   M'ouvre sa porte et m'appelle d'un signe.
Qu'en passant près de moi, l'on détourne les yeux,
   Car Vénus, en amour, veut le mystère ;
Que nul pas ne m'effraie, qu'on ignore mon nom,
   Qu'on éloigne de moi toute lumière !
Si quelqu'un m'aperçoit, qu'il garde le silence,
   Et, par les dieux ! n'en convienne jamais ;
Vénus est née du sang de la mer furieuse :
   A ses dépens, tout bavard l'apprendra.
Ton mari, toutefois, ne pourra rien admettre :
   C'est ce qu'une sorcière m'a promis ;
Je l'ai vue attirer les planètes du ciel,
   Elle détourne un fleuve dans sa course ;
A sa voix, le sol s'ouvre et les morts fuient les tombes,
   Les ossements descendent du bûcher ;
D'un sifflement magique elle retient les ombres,
   D'une aspersion de lait, elle les chasse ;
Elle peut dissiper les brouillards d'un ciel triste,
   Faire tomber la neige en plein été,

Sola tenere malas Medeae [9] dicitur herbas,
  sola feros Hecatae perdomuisse canes.
Haec mihi composuit cantus, quis fallere posses :
  ter cane, ter dictis despue carminibus ;
ille nihil poterit de nobis credere cuiquam,
  non sibi, si in molli uiderit ipse toro.
Tu tamen abstineas aliis : nam cetera cernet
  omnia ; de me uno sentiet ille nihil.
Quid credam ? nempe haec eadem se dixit amores
  cantibus aut herbis soluere posse meos,
et me lustrauit taedis, et nocte serena
  concidit ad magicos hostia pulla deos.
Non ego totus abesset amor, sed mutuus esset,
  orabam, nec te posse carere uelim.
Ferreus ille fuit qui, te cum posset habere,
  maluerit praedas stultus et arma sequi.
Ille licet Cilicum [10] uictas agat ante cateruas,
  ponat et in capto Martia castra solo.
totus et argento contextus, totus et auro,
  insideat celeri conspiciendus equo ;
ipse boues, mea, si tecum modo, Delia, possim
  iungere et in solito pascere monte pecus,
et te dum liceat teneris retinere lacertis,
  mollis et inculta sit mihi somnus humo.
Quid Tyrio recubare toro sine amore secundo
  prodest, cum fletu nox uigilanda uenit ?
Nam neque tunc plumae nec stragula picta soporem
  nec sonitus placidae ducere posset aquae.
Num Veneris magnae uiolaui numina uerbo

Elle qui de Médée connaît seule les philtres
   Et qui soumit — dit-on — les chiens d'Hécate.
Pour tromper ton mari, voici de ses formules :
   Dis-les trois fois, crache trois fois ensuite ;
Fermé dès lors à tout ce qu'on lui contera,
   Il nous verrait au lit sans en rien croire.
Mais n'aie pas d'autre amant : il s'en apercevrait ;
   Avec moi seul tu ne cours pas de risque !
Que penser ? Sa magie pouvait, dit-elle encore,
   Faire en sorte d'éteindre mon amour ;
Sous la lune, aux flambeaux, je fus purifié
   Tandis que tombait une noire victime :
Mais mon seul vœu, Délie, fut que ton cœur m'entende,
   Moi qui voudrais n'exister que pour toi.
Seul un cruel, un sot, peut délaisser l'amour
   Pour préférer les trophées et la guerre :
Qu'il chasse devant lui les troupes Ciliciennes
   Et campe, vainqueur, en terre conquise ;
Qu'il se fasse admirer sur un coursier rapide,
   Tout entier d'or et d'argent revêtu.
Moi, pour toi, ma Délie, j'attellerais mes bœufs,
   Je suivrais mon troupeau sur la colline ;
Et pourvu qu'en mes bras je puisse te serrer,
   Dormir contre le sol me serait doux.
Quand l'amour est absent, que vaut un lit de pourpre
   S'il faut passer des nuits vouées aux pleurs ?
Point de repos alors, même dans le duvet,
   Les broderies, les murmures d'eaux calmes.
Vénus, ma langue impie t'aurait-elle outragée ?

et mea nunc poenas impia lingua luit ?
Num feror incestus sedes adiisse deorum
    sertaque de sanctis diripuisse focis ?
Non ego, si merui, dubitem procumbere templis
    et dare sacratis oscula liminibus,
non ego tellurem genibus perrepere supplex
    et miserum sancto tundere poste caput.
At tu, qui laetus rides mala nostra, caueto
    mox tibi : non uni saeuiet usque deus.
Vidi ego qui iuuenum miseros lusisset amores
    post Veneris uinclis subdere colla senem
et sibi blanditias tremula componere uoce
    et manibus canas fingere uelle comas ;
stare nec ante fores puduit caraeue puellae
    ancillam medio detinuisse foro.
Hunc puer hunc iuuenis turba circumterit arta,
    despuit in molles et sibi quisque sinus.
At mihi parce, Venus : semper tibi dedita seruit
    mens mea ; quid messes uris acerba tuas ?

Serait-ce là ce qui me vaut ma peine ?
Ou dit-on que, souillé, j'aurais franchi les temples
   Et ravi les guirlandes des autels ?
S'il en était ainsi, je me prosternerais,
   Je baiserais le seuil des sanctuaires,
J'irais sur les genoux, rampant et suppliant,
   Cogner ma tête à leurs portes sacrées.
Et vous tous qui riez de mes tourments, craignez
   D'être bientôt les prochaines victimes !
J'en ai vu, qui raillaient les malheureux amants,
   Succomber à l'amour, dans leur vieillesse,
Et faire les galants d'une voix chevrotante,
   Et disposer, du doigt, leurs cheveux blancs.
Ils ne rougissaient pas de guetter une fille,
   Ou d'accoster sa servante en public :
Enfants et jeunes gens d'assiéger un tel homme,
   Et de cracher contre le mauvais sort !
Epargne-moi, Vénus, moi qui te suis fidèle :
   Pourquoi mettre le feu à tes moissons ?

IBITIS Aegaeas sine me , Messalla, per undas,
  o utinam memores ipse cohorsque mei !
Me tenet ignotis aegrum Phaeacia [11] terris.
  Abstineas auidas, Mors, modo, nigra, manus ;
abstineas, Mors atra, precor : non hic mihi mater
  quae legat in maestos ossa perusta sinus,
non soror, Assyrios cineri quae dedat odores
  et fleat effusis ante sepulcra comis,
Delia non usquam, quae, me cum mitteret urbe,
  dicitur ante omnes consuluisse deos ;
illa sacras pueri sortes ter sustulit : illi
  rettulit e triuiis omnia certa puer ;
cuncta dabant reditus ; tamen est deterrita numquam
  quin fleret nostras respiceretque uias.
Ipse ego solator, cum iam mandata dedissem,
  quaerebam tardas anxius usque moras ;
aut ego sum causatus aues aut omina dira
  Saturniue [12] sacram me tenuisse diem.
O quotiens ingressus iter mihi tristia dixi
  offensum in porta signa dedise pedem !
Audeat inuito ne quis discedere Amore,
  aut sciat egressum se prohibente deo.
Quid tua nunc Isis mihi, Delia, quid mihi prosunt

REVOIR DÉLIE

Messalla, vous irez sans moi en mer Egée,
    Mais ta suite et toi, gardez ma mémoire !
Je suis seul et malade en terre Phéacienne.
    Ecarte, sombre mort, tes mains avides !
Pitié ! car je n'ai pas de mère, ici, pour prendre
    Mes os brûlés dans sa robe de deuil,
Ni de sœur pour offrir des parfums à ma cendre
    Et, cheveux épars, pleurer mon tombeau.
Délie même n'est pas, qui, me laissant partir,
    Avait, dit-on, consulté tous les dieux ;
Par trois fois elle fit tirer les sorts sacrés
    Et la réponse fut toujours la même :
« Je devais revenir ». Pourtant elle pleura,
    Ne s'empêchant de craindre ce voyage.
Je voulais la calmer ; inquiet, malgré mes ordres,
    Je ne cessais d'opposer des retards ;
Et le vol des oiseaux, de sinistres présages
    Ou le jour de Saturne en étaient cause.
Ah ! que de fois, depuis, j'ai compris mon malheur
    D'avoir buté du pied contre la porte !
Que nul n'ose partir quand Amour s'y oppose,
    Ou qu'on sache que c'est braver le dieu.
Que me valent, Délie, ton Isis, à présent,

illa tua totiens aera [13] repulsa manu,
quidue, pie dum sacra colis, pureque lauari
   te, memini, et puro secubuisse toro ?
Nunc, dea, nunc succurre mihi (nam posse mederi
   picta docet templis multa tabella tuis),
ut mea uotiuas persoluens Delia uoces
   ante sacras lino tecta fores sedeat
bisque die resoluta comas tibi dicere laudes
   insignis turba debeat in Pharia [14].
At mihi contingat patrios celebrare Penates
   reddereque antiquo menstrua tura Lari.
Quam bene Saturno uiuebant rege, priusquam
   tellus in longas est patefacta uias !
Nondum caeruleas pinus contempserat undas,
   effusum uentis praebueratque sinum,
nec uagus ignotis repetens compendia terris
   presserat externa nauita merce ratem.
Illo non ualidus subiit iuga tempore taurus,
   non domito frenos ore momordit equus,
non domus ulla fores habuit, non fixus in agris,
   qui regeret certis finibus arua, lapis ;
ipsae mella dabant quercus, ultroque ferebant
   obuia securis ubera lactis oues.
Non acies, non ira fuit, non bella, nec ensem
   immiti saeuus duxerat arte faber.
Nunc Ioue sub domino caedes et uulnera semper,
   nunc mare, nunc leti mille repente uiae.
Parce, pater : timidum non me periuria terrent,
   non dicta in sanctos impia uerba deos.

Les sistres tant de fois frappés de ta main,
Et toute ta piété, tes bains qui purifient,
    Et — j'en ai souvenance — ton lit chaste ?
Déesse, il faut m'aider, car tu peux me guérir :
    Les tableaux de ton temple me l'attestent ;
Et ma Délie viendra, s'acquittant de ses vœux,
    Vêtue de lin à ta porte sacrée,
Te louer, par deux fois le jour, cheveux épars,
    Belle parmi la foule de Pharos.
Et moi, puissé-je encore honorer mes Pénates,
    Et offrir son encens au Lare antique !
Comme on vivait heureux, sous Saturne, avant que
    La terre ne s'ouvrît aux longues routes ;
Le pin n'avait encor bravé les ondes bleues
    Ni déployé sa voile dans les vents,
Et l'avide marin, aux terres inconnues
    N'avait chargé sa nef de marchandises ;
En ce temps, le taureau ne portait pas le joug
    Et le cheval ne mordait pas le frein ;
Il n'était point de porte ; il n'était point de borne
    Pour mieux régler la limite des champs ;
Le chêne offrait le miel ; les brebis d'elles-mêmes
    Portaient leur lait aux hommes sans souci.
Point d'armées, de fureur, de guerres, — ni le glaive
    Qu'un art barbare n'avait pas forgé.
Sous Jupiter ? — le meurtre, à présent, les blessures :
    La mer, toutes voies promettent la mort !
O Père, épargne-moi : je ne crains ni parjures,
    Ni blasphèmes lancés contre les dieux ;

Quod si fatales iam nunc expleuimus annos,
    fac lapis inscriptis stet super ossa notis :
HIC IACET IMMITI CONSVMPTVS MORTE TIBVLLVS,
    MESSALLAM TERRA DVM SEQVITVRQVE MARI.
Sed me, quod facilis tenero sum semper Amori,
    ipsa Venus campos ducet in Elysios.
Hic choreae cantusque uigent, passimque uagantes
    dulce sonant tenui gutture carmen aues ;
fert casiam non culta seges, totosque per agros
    floret odoratis terra benigna rosis ;
ac iuuenum series teneris immixta puellis
    ludit, et adsidue proelia miscet Amor.
Illic est, cuicumque rapax Mors uenit amanti,
    et gerit insigni myrtea serta coma.
At scelerata iacet sedes in nocte profunda
    abdita, quam circum flumina nigra sonant ;
Tisiphoneque impexa feros pro crinibus angues
    saeuit et huc illuc impia turba fugit ;
tum niger in porta serpentum Cerberus ore
    stridet et aeratas excubat ante fores.
Illic Iunonem temptare Ixionis ausi
    uersantur celeri noxia membra rota ;
porrectusque nouem Tityos per iugera terrae
    adsiduas atro uiscere pascit aues ;
Tantalus est illic, et circum stagna : sed acrem
    iam iam poturi deserit unda sitim ;
et Danai proles, Veneris quod numina laesit,
    in caua Lethaeas dolia portat aquas [37].
Illic sit quicumque meos uiolauit amores,

40

Et que si de mes ans le cours est achevé,
    Permets que l'on inscrive sur ma tombe :
« Il suivait Messalla sur la terre et la mer
    Quand une mort cruelle l'enleva. »
Mais moi, qui suis toujours docile au tendre Amour,
    Vénus m'ouvrira les Champs-Elysées ;
Là : les danses, les chants, les oiseaux qui voltigent,
    Les doux concerts de leurs frêles gosiers ;
Le cannelier croît seul, et toute la campagne
    Y resplendit de roses parfumées.
Là se jouent les garçons, les tendres jeunes filles,
    En foules qu'Amour affronte sans cesse ;
Là s'en vont les amants que la mort a ravis
    Et que l'on voit de myrte couronnés.
Mais il est un séjour maudit, dans les ténèbres,
    Autour duquel mugissent des flots noirs ;
Où sévit Tisiphone aux cheveux de serpents,
    Où la foule impie fuit de tous côtés ;
La gueule de serpents du noir Cerbère siffle
    Qui monte la garde aux portes d'airain.
Du coupable Ixion dont Junon fut victime
    Tourne le corps sur une roue rapide ;
Et l'immense Tityos, de ses noires entrailles,
    Offre pâture à d'éternels vautours.
Tantale est près d'un lac, mais l'eau quand il va boire
    Déserte chaque fois sa soif aiguë.
Pour outrage à Vénus, les Danaïdes versent
    Dans des tonneaux sans fond l'eau du Léthé.
Tel soit damné quiconque a trahi mes amours

optauit lentas et mihi militias.
At tu casta precor maneas, sanctique pudoris
adsideat custos sedula semper anus.
Haec tibi fabellas referat positaque lucerna
deducat plena stamina longa colu ;
at circa grauibus pensis adfixa puella
paulatim somno fessa remittat opus.
Tunc ueniam subito, nec quisquam nuntiet ante,
sed uidear caelo missus adesse tibi;
tunc mihi, qualis eris longos turbata capillos,
obuia nudato, Delia, curre pede.
Hoc precor, hunc illum nobis Aurora nitentem
Luciferum roseis candida portet equis.

Ou m'a souhaité longue absence à la guerre !
Reste chaste, ô Délie ! Qu'une vieille nourrice
  Ait soin de garder ta sainte pudeur,
Et, durant la veillée, te dise des histoires
  En tirant les longs fils de sa quenouille ;
Alors la jeune esclave attachée au labeur
  S'endormirait vaincue sur son ouvrage...
Ah ! qu'alors je voudrais soudainement venir,
  Comme envoyé du ciel, et t'apparaître :
Telle que tu seras, les cheveux en désordre,
  Accours vers moi, les pieds nus, ô Délie !
Ce magnifique jour, puisse la blanche Aurore
  Nous l'apporter sur ses roses chevaux.

« Sic umbrosa tibi contingant tecta, Priape [15],
   ne capiti soles, ne noceantque niues :
quae tua formosos cepit sollertia ? certe
   non tibi barba nitet, non tibi culta coma est ;
nudus et hibernae producis frigora brumae,
   nudus et aestiui tempora sicca Canis. »
Sic ego ; tum Bacchi respondit rustica proles
   armatus curua sic mihi falce deus :
« O fuge te tenerae puerorum credere turbae :
   nam causam iusti semper amoris habent.
Hic placet, angustis quod equum compescit habenis,
   hic placidam niueo pectore pellit aquam ;
hic, quia fortis adest audacia, cepit ; at illi
   uirgineus teneras stat pudor ante genas.
Sed ne te capiant, primo si forte negabit,
   taedia ; paulatim sub iuga colla dabit :
longa dies homini docuit parere leones,
   longa dies molli saxa peredit aqua ;
annus in apricis maturat collibus uuas,
   annus agit certa lucida signa uice.
Nec iurare time : Veneris periuria uenti
   inrita per terras et freta summa ferunt.
Gratia magna Ioui : uetuit Pater ipse ualere,

L'AMOUR DES GARÇONS

« Puisses-tu à l'abri d'un toit d'ombre, Priape,
   Ne pas souffrir du soleil et des neiges.
Par quel art séduis-tu, dis-moi, les beaux garçons ?
   Ta barbe et tes cheveux manquent de soins,
Et tu demeures nu dans les froids de l'hiver,
   Nu par les temps secs de la canicule. »
Et le champêtre fils de Bacchus me répond,
   — Ce dieu pourvu d'une faux recourbée :
« Fuis des jeunes garçons la tendre multitude,
   Car ils ont toujours motif d'être aimés ;
Ils plaisent pour dompter la fougue d'un cheval,
   Pour plisser l'eau, d'une gorge d'albâtre ;
Et la folle vigueur éblouit tout autant
   Qu'à la joue tendre une pudeur de vierge.
Mais qu'un premier refus ne te rebute pas,
   Le cou peu à peu cédera au joug :
Avec le temps le lion devient docile à l'homme,
   Avec le temps l'eau mine le rocher ;
Chaque année, les coteaux mûrissent la vendange,
   Chaque année reconduit l'astre brillant.
Ne crains pas de promettre ! En amour, les parjures
   Sont sans valeur et vont aux quatre vents.
Honorons Jupiter : ce Père tient pour nuls

iurasset cupide quidquid ineptus amor ;
perque suas impune sinit Dictynna sagittas [16]
    adfirmes, crines perque Minerua suos.
At si tardus eris errabis : transiet aetas
    quam cito ! non segnis stat remeatque dies.
Quam cito purpureos deperdit terra colores,
    quam cito formosas populus alta comas.
Quam iacet, infirmae uenere ubi fata senectae,
    qui prior Eleo est carcere missus equus.
Vidi iam iuuenem, premeret cum serior aetas,
    maerentem stultos praeteriisse dies.
Crudeles diui ! serpens nouus exuit annos :
    formae non ullam fata dedere moram.
Solis aeterna est Baccho Phoeboque iuuentas :
    nam decet intonsus crinis [17] utrumque deum.
Tu, puero quodcumque tuo temptare libebit,
    cedas : obsequio plurima uincet amor.
Neu comes ire neges, quamuis uia longa paretur
    et Canis arenti torreat arua siti,
quamuis praetexens picta ferrugine caelum
    uenturam amiciat imbrifer arcus aquam ;
uel si caeruleas puppi uolet ire per undas,
    ipse leuem remo per freta pelle ratem.
Nec te paeniteat duros subiisse labores
    aut opera insuetas atteruisse manus ;
nec, uelit insidiis altas si claudere ualles,
    dum placeas, umeri retia ferre negent ;
si uolet arma, leui temptabis ludere dextra,
    saepe dabis nudum, uincat ut ille, latus.

Tous les serments d'une folle passion ;
Tu peux même attester en vain les traits de Diane
  Ou bien la chevelure de Minerve.
Quelle erreur d'hésiter, quand le temps va si vite !
  Pas un seul jour ne traîne, ne revient.
Que la terre, aussitôt, perd ses vives couleurs,
  Et le haut peuplier son beau feuillage !
Qu'il est inerte, aux jours fatals de sa vieillesse,
  Le cheval jadis lancé dans les courses !
J'ai vu plus d'un jeune homme, aux approches de l'âge,
  Pleurer sur ses jours sottement perdus.
Dieux cruels ! du serpent, la mue ôte les ans ;
  Mais la beauté doit passer sans retard.
Seuls Bacchus et Phœbus ont jeunesse éternelle,
  Puisqu'il sied à ces dieux des cheveux longs.
Cède à tous les désirs du garçon qui t'est cher ;
  Obéir, en amour, c'est souvent vaincre.
Suis-le, ne dis pas non, — que la route soit longue,
  Et sous la canicule dévorante,
Ou que, chargeant le ciel de touches assombries,
  L'arche de pluie soit prête à s'élancer ;
Veut-il sur l'onde bleue s'évader en bateau,
  Mène l'esquif toi-même, prends la rame.
Offre-toi, sans te plaindre, à de rudes efforts ;
  Sans plainte use au travail tes mains novices ;
De ses pièges veut-il refermer un vallon ?
  Si c'est lui plaire, porte ses filets ;
Veut-il croiser le fer ? Que ta main soit légère,
  Prête-lui le flanc pour qu'il soit vainqueur.

Tunc tibi mitis erit, rapias tum cara licebit
    oscula ; pugnabit, sed tamen apta dabit ;
rapta dabit primo, post afferet ipse roganti,
    post etiam coilo se implicuisse uelit.
Heu ! male nunc artes miseras haec saecula tractant :
    iam tener adsueuit munera uelle puer.
At tu, qui uenerem docuisti uendere primus,
    quisquis es, infelix urgeat ossa lapis.
Pieridas, pueri, doctos et amate poetas,
    aurea nec superent munera Pieridas :
carmine purpurea est Nisi coma [18] ; carmina ni sint,
    ex umero Pelopis [19] non nituisset ebur.
Quem referent Musae, uiuet, dum robora tellus,
    dum caelum stellas, dum uehet amnis aquas.
At qui non audit Musas, qui uendit amorem,
    Idaeae currus ille sequatur Opis [20]
et tercentenas erroribus expleat urbes
    et secet ad Phrygios uilia membra modos.
Blanditiis uult esse locum Venus ipsa ; querellis
    supplicibus, miseris fletibus illa fauet. »
Haec mihi, quae canerem Titio [21], deus edidit ore :
    sed Titium coniunx haec meminisse uetat.
Pareat ille suae : uos me celebrate magistrum,
    quos male habet multa callidus arte puer.
Gloria cuique sua est : me, qui spernentur, amantes
    consultent ; cunctis ianua nostra patet.
Tempus erit, cum me Veneris praecepta ferentem
    deducat iuuenum sedula turba senem.
Heu ! heu ! quam Marathus lento me torquet amore !

Alors il sera doux : tu pourras lui voler
   De chers baisers rendus non sans dispute ;
D'abord te laissant faire, et puis t'obéissant,
   C'est lui qui voudra se pendre à ton cou.
Comme l'art, en ce siècle, hélas ! est mal traité :
   L'enfant lui-même exige des présents !
O toi qui, le premier, fis commerce d'amour,
   Qui que tu sois, que la tombe te pèse !
Aimez, ô jeunes gens, les Muses, les poètes,
   Et qu'aux Muses l'or ne soit préféré :
Nisus doit à l'art son cheveu roux ; sans l'art
   N'eût resplendi l'épaule de Pélops.
Celui que chanteront les Muses vivra tant
   Que les forêts, les étoiles, les fleuves ;
Mais celui qui, hostile aux Muses, vend l'amour,
   Qu'il suive alors le char de Cybèle,
Qu'il aille errant de cités en cités, qu'il coupe
   Son vil membre au son des flûtes phrygiennes !
C'est aux propos plaisants qu'amour est favorable,
   Aux soupirs suppliants, aux pauvres pleurs. »
Le dieu me dit ces mots pour les dire à Titius,
   Mais sa femme défend qu'il s'en souvienne ;
Qu'il l'écoute ! Mais vous, prenez-moi comme maître,
   Vous qui souffrez des ruses d'un garçon :
Ma gloire est d'assister les amants malheureux
   Et ma porte est ouverte à tout le monde.
Un jour, je serai ce vieillard, maître d'amour,
   Que la jeunesse en foule escortera.
Hélas ! que Marathus me tue, en ses lenteurs !

Deficiunt artes, deficiuntque doli.
Parce, puer, quaeso, ne turpis fabula fiam,
cum mea ridebunt uana magisteria.

Rien ne me sert de ruser, d'être habile.
Je t'en prie, mon garçon, épargne-moi la honte
D'être moqué pour mes vaines leçons.

Asper eram et bene discidium me ferre loquebar :
   at mihi nunc longe gloria fortis abest.
Namque agor ut per plana citus sola uerbere turben
   quem celer adsueta uersat ab arte puer.
Vre ferum et torque, libeat ne dicere quicquam
   magnificum post haec : horrida uerba doma.
Parce tamen, per te furtiui foedera lecti,
   per Venerem quaeso compositumque caput.
Ille ego cum tristi morbo defessa iaceres
   te dicor uotis eripuisse meis,
ipseque te circum lustraui sulpure puro,
   carmine cum magico praecinuisset anus ;
ipse procuraui ne possent saeua nocere
   somnia, ter sancta deueneranda mola ;
ipse ego uelatus filo tunicisque solutis
   uota nouem Triuiae nocte silente dedi [22].
Omnia persolui : fruitur nunc alter amore,
   et precibus felix utitur ille meis.
At mihi felicem uitam, si salua fuisses,
   fingebam demens, sed renuente deo.
Rura colam, frugumque aderit mea Delia custos,
   area dum messes sole calente teret,
aut mihi seruabit plenis in lintribus uuas

L'ADIEU À DÉLIE

Je prétendais pouvoir me séparer de toi,
   Mais qu'à présent je manque de bravoure.
Je suis tel ce jouet que l'enfant, de son fouet,
   Fait danser sur le sol avec adresse.
Déchire un orgueilleux, fais-lui passer l'envie
   De se flatter ; dompte son dur langage !
Ou plutôt, aie pitié, au nom de notre amour,
   Du lit furtif où s'unirent nos têtes.
C'est moi, quand tu gisais cruellement malade,
   Dont les vœux, on l'affirme, t'ont sauvée ;
Je t'ai purifiée de soufre rituel
   Dès qu'une vieille eut dit ses chants magiques,
J'ai prévenu l'effet de tes songes funestes
   En leur offrant trois fois farine et sel ;
Enfin, voilé de lin, la tunique flottante,
   J'ai prié, neuf fois, Hécate, la nuit.
Pour mes vœux acquittés ? — Un rival a son cœur
   Et profite à présent de mes prières !
Insensé que j'étais de rêver au bonheur,
   Toi rétablie, quand un dieu s'y oppose...
— Je cultivais mes champs, ma Délie surveillait
   Les grains dont le soleil chargeait mon aire,
Ou mes cuves remplies de grappes de raisin,

pressaque ueloci candida musta pede.
Consuescet numerare pecus ; consuescet amantis
    garrulus in dominae ludere uerna [23] *sinu.*
Illa deo sciet agricolae pro uitibus uuam,
    pro segete spicas, pro grege ferre dapem.
Illa regat cunctos, illi sint omnia curae :
    at iuuet in tota me nihil esse domo.
Huc ueniet Messalla meus, cui dulcia poma
    Delia selectis detrahat arboribus :
et, tantum uenerata uirum, hunc sedula curet,
    huic paret atque epulas ipsa ministra gerat.
Haec mihi fingebam, quae nunc Eurusque Notusque
    iactat odoratos [24] *uota per Armenios.*
Saepe ego temptaui curas depellere uino :
    at dolor in lacrimas uerterat omne merum
Saepe aliam tenui : sed iam cum gaudia adirem,
    admonuit dominae deseruitque Venus ;
tunc me discedens deuotum femina dixit,
    et pudet et narrat scire nefanda meam.
Non facit hoc uerbis, facie tenerisque lacertis
    deuouet et flauis nostra puella comis :
talis ad Haemonium Nereis Pelea quondam
    uecta est frenato caerula pisce Thetis [25] *;*
haec nocuere mihi. Quod adest huic diues amator,
    uenit in exitium callida lena meum.
Sanguineas edat illa dapes atque ore cruento
    tristia cum multo pocula felle bibat ;
hanc uolitent animae circum sua fata querentes
    semper, et e tectis strix uiolenta canat ;

Et le moût clair pressé d'un pied agile...
Elle aimerait compter mon bétail, et laisser
   Jouer dans ses bras le petit esclave,
Sachant au dieu rustique accorder les prémices
   Des moissons, de la vigne et du troupeau.
Qu'elle commande à tous et qu'elle ait soin de tout !
   O le bonheur de n'être rien près d'elle !
A mon cher Messalla, Délie viendrait offrir
   Les fruits exquis des arbres les plus beaux,
Elle aurait mille soins pour ce grand personnage
   Et s'occuperait seule de sa table...
O douces illusions, qu'à présent les vents chassent
   A travers l'Arménie toute embaumée.
Souvent j'ai voulu fuir mes peines dans le vin,
   Mais ma douleur changeait le vin en larmes.
Et tout près de jouir dans les bras d'autres femmes,
   Je perdais toute ardeur, à sa pensée ;
La belle, en me quittant, racontait non sans trouble
   Que mon amie m'avait ensorcelé.
Mais ta magie, Délie, n'est que dans ta beauté,
   Tes jolis bras, ta blonde chevelure :
Thétis, toute d'azur, n'avait pas plus de charmes
   Quand un dauphin l'emporta vers Pélée ;
Voilà le maléfice. Un riche te possède,
   Et mon malheur vient d'une maquerelle !
Puisse cette rusée mordre à des chairs sanglantes,
   Et, la bouche rougie, boire du fiel !
Qu'un tourbillon plaintif de spectres la harcèle,
   Qu'elle entende à son toit crier la strige,

ipsa fame stimulante furens herbasque sepulcris
  quaerat et a saeuis ossa relicta lupis,
currat et inguinibus nudis ululetque per urbes.
  post agat e triuiis aspera turba canum.
Eueniet ; dat signa deus : sunt numina amanti,
  saeuit et iniusta lege relicta Venus.
At tu quam primum sagae praecepta [26] *rapacis*
  desere : nam donis uincitur omnis amor.
Pauper erit praesto semper, te pauper adibit
  primus et in tenero fixus erit latere ;
pauper in angusto fidus comes agmine turbae
  subicietque manus efficietque uiam ;
pauper ad occultos furtim deducet amicos
  uinclaque de niueo detrahet ipse pede.
Heu ! canimus frustra nec uerbis uicta patescit
  ianua sed plena est percutienda manu.
At tu, qui potior nunc es, mea furta timeto :
  uersatur celeri Fors leuis orbe rotae.
Non frustra quidam iam nunc in limine perstat
  sedulus ac crebro prospicit ac refugit
et simulat transire domum, mox deinde recurrit
  solus et ante ipsas exscreat usque fores [27].
Nescio quid furtiuus amor parat. Vtere quaeso,
  dum licet : in liquida nam tibi linter aqua.

Que sa rage affamée cherche l'herbe des tombes
    Et les os laissés par les loups cruels,
Et qu'elle courre nue, hurlant à travers villes,
    Pourchassée par les chiens des carrefours !
Mes vœux sont entendus : les amants ont leurs dieux,
    Vénus punit quiconque se joue d'elle.
N'écoute plus, Délie, cette avide sorcière :
    Où l'or triomphe, il n'y a plus d'amour.
L'amant pauvre sera prêt à tous les services,
    Les prévenant, toujours à ton côté ;
Fidèle compagnon, dans le gros de la foule,
    Il t'offrira son bras pour faire place ;
Et t'ayant en secret menée chez ses amis,
    Lui-même déliera ton pied de neige.
Hélas ! mes chants sont vains. Sa porte fait la sourde,
    C'est la main pleine qu'il y faut frapper !
Toi, mon rival heureux, crains le sort qui m'est fait :
    La roue de la Fortune tourne vite.
Déjà quelque autre amant s'arrête à sa demeure
    Puis jette des regards et disparaît ;
Feignant de dépasser la porte, il s'en revient,
    Ne cessant pas de cracher sur le seuil.
Quelque revers te guette ! Alors profites-en :
    Ta barque vogue sur une eau courante.

Hvnc cecinere diem [28] *Parcae fatalia nentes*
  stamina, non ulli dissoluenda deo,
hunc fore, Aquitanas posset qui fundere gentes,
  quem tremeret forti milite uictus Atax.
Euenere : nouos pubes Romana triumphos
  uidit et euinctos bracchia capta duces ;
at te uictrices lauros, Messalla, gerentem
  portabat nitidis currus eburnus equis.
Non sine me est tibi partus honos : Tarbella Pyrene
  testis et Oceani litora Santonici,
testis Arar Rhodanusque celer magnusque Garunna,
  Carnutis et flaui caerula lympha Liger [29].
An te, Cydne, canam, tacitis qui leniter undis
  caeruleus placidis per uada serpis aquis,
quantus et aetherio contingens, uertice nubes
  frigidus intonsos Taurus alat Cilicas ?
Quid referam ut uolitet crebras intacta per urbes
  alba Palaestino sancta columba Syro,
utque maris uastum prospectet turribus aequor
  prima ratem uentis credere docta Tyros,
qualis et, arentes cum findit Sirius agros,
  fertilis aestiua Nilus abundet aqua [30] *?*
Nile pater, quanam possim te dicere causa
  aut quibus in terris occuluisse caput ?

ANNIVERSAIRE DE MESSALLA

Ce jour fut annoncé par les Parques qui filent
   Les destinées que nul dieu ne peut rompre,
Ce jour qui devait voir l'Aquitaine en déroute
   Et qui ferait trembler l'Aude vaincue.
C'en est fait : Rome a vu ce triomphe nouveau
   Et les bras ligotés des chefs captifs,
Tandis qu'un char d'ivoire aux brillantes montures
   Transportait Messalla ceint de lauriers.
Je fus son compagnon de gloire : et les Tarbelles,
   Les rivages Santons en sont témoins,
Le Rhône vif, la Saône et la vaste Garonne,
   Et la Loire, onde bleue du blond Carnute.
Chanterai-je plutôt le tranquille Cydnus
   Qui serpente sans bruit dans un lit calme ?
Ou le Taurus glacé dont le front touche aux nues
   Et qui nourrit les Ciliciens sauvages ?
Dirai-je qu'à travers toute la Palestine
   La colombe sacrée vole sans crainte,
Et que, de ses hauteurs, Tyr voit la vaste mer
   Où la première elle risqua la voile ?
Parlerai-je du Nil, qui, dans la canicule,
   Fertilise les terres assoiffées ?
O père nourricier, Nil, pour quelles raisons
   Et en quels lieux as-tu caché ta source ?

Te propter nullos tellus tua postulat imbres,
  arida nec pluuio supplicat herba Ioui.
Te canit atque suum pubes miratur Osirim
  barbara, Memphiten [31] *plangere docta bouem.*
Primus aratra manu sollerti fecit Osiris
  et teneram ferro sollicitauit humum,
primus inexpertae commisit semina terrae
  pomaque non notis legit ab arboribus.
Hic docuit teneram palis adiungere uitem,
  hic uiridem dura caedere falce comam ;
illi iucundos primum matura sapores
  expressa incultis uua dedit pedibus ;
ille liquor docuit uoces inflectere cantu,
  mouit et ad certos nescia membra modos ;
Bacchus [31] *et agricolae magno confecta labore*
  pectora tristitiae dissoluenda dedit,
Bacchus et adflictis requiem mortalibus adfert,
  crura licet dura compede pulsa sonent.
Non tibi sunt tristes curae nec luctus, Osiri,
  sed chorus et cantus et leuis aptus amor,
sed uarii flores et frons redimita corymbis,
  fusa sed ad teneros lutea palla pedes
et Tyriae uestes et dulcis tibia cantu
  et leuis occultis conscia cista sacris.
Huc ades et Genium ludo Geniumque choreis
  concelebra et multo tempora funde mero ;
illius et nitido stillent unguenta capillo,
  et capite et collo mollia serta gerat.
Sic uenias hodierne, tibi dem turis honores,

Le sol, grâce à tes crues, n'a pas besoin de pluie,
    L'herbe asséchée n'implore pas le ciel :
A l'égal d'Osiris te vénère l'Egypte,
    Instruite à pleurer le bœuf de Memphis.
C'est l'habile Osiris qui créa la charrue,
    Qui, le premier, remua le sol tendre ;
C'est lui qui, le premier, y déposa des graines
    Et recueillit les fruits d'arbres nouveaux.
C'est lui qui enseigna l'art d'étayer la vigne,
    L'art d'en tailler la verte chevelure,
Et qui obtint le jus savoureux que la grappe
    Fait couler sous le pied du vendangeur ;
Cette liqueur apprit à moduler des chants
    Et à mouvoir les membres en cadence ;
Et Bacchus a permis au laboureur recru
    De chasser de son cœur toute tristesse,
Bacchus qui donne paix aux mortels malheureux
    Bien qu'à leurs pieds retentissent des fers.
Toi, ce n'est point le deuil, Osiris, que tu aimes,
    Mais les danses, les chants, l'amour folâtre,
Et les fleurs variées, les couronnes de lierre,
    La robe de safran sur des pieds fins,
Les étoffes de Tyr, les doux sons de la flûte,
    Et le panier d'osier de tes mystères.
Viens donc de Messalla célébrer le Génie
    Par les danses, les jeux, les flots de vin ;
De ses cheveux brillants que le parfum ruisselle,
    Que sa tête et son cou portent guirlandes :
Génie, reçois ce jour mes offrandes d'encens

liba et Mopsopio dulcia melle feram.
At tibi succrescat proles quae facta parentis
  augeat et circa stet ueneranda senem.
Nec taceat monumenta uiae [32], quem Tuscula tellus
  candidaque antiquo detinet Alba Lare ;
namque opibus congesta tuis hic glarea dura
  sternitur, hic apta iungitur arte silex ;
te canit agricola, a magna cum uenerit urbe
  serus, inoffensum rettuleritque pedem.
At tu, Natalis multos celebrande per annos,
  candidior semper candidiorque ueni.

Et de doux gâteaux au miel de l'Attique ;
Puisse ton nom grandir en tes fils, Messalla,
   Pour que leur gloire entoure ta vieillesse !
Et que de Tusculum ou d'Albe, on se souvienne
   De la voie due à ta munificence,
Car elle est composée d'un gravier répandu
   Sous un parfait alignement de dalles ;
Et quand il s'en revient de la ville, le soir,
   Le laboureur te loue d'aller sans peine.
Anniversaire, ô toi, puissent maintes années
   Te ramener toujours plus radieux !

Non ego celari possum, quid nutus amantis
   quidue ferant miti lenia uerba sono.
Nec mihi sunt sortes nec conscia fibra deorum,
   praecinit euentus nec mihi cantus auis [33] :
ipsa Venus magico religatum bracchia nodo
   perdocuit multis non sine uerberibus [34].
Desine dissimulare : deus crudelius urit,
   quos uidet inuitos succubuisse sibi.
Quid tibi nunc molles prodest coluisse capillos
   saepeque mutatas disposuisse comas,
quid fuco splendente genas ornare, quid ungues
   artificis docta subsecuisse manu ?
Frustra iam uestes, frustra mutantur amictus
   ansaque compressos colligit arta pedes.
Illa placet, quamuis inculto uenerit ore
   nec nitidum tarda compserit arte caput.
Num te carminibus, num te pallentibus herbis
   deuouit tacito tempore noctis anus ?
Cantus uicinis fruges traducit ab agris,
   cantus et iratae detinet anguis iter,
cantus et e curru Lunam deducere temptat,
   et faceret, si non aera repulsa sonent [35].
Quid queror heu ! misero carmen nocuisse, quid herbas ?

MARATHUS AMOUREUX

Jamais je ne me trompe aux signes de l'amour,
    Ni sur le sens caché d'une voix tendre.
Loin de moi les savoirs où se confient les dieux,
    Nul chant d'oiseau ne me prédit les choses :
Vénus m'a tout appris, non sans maintes blessures,
    Alors que sa magie liait mes bras.
Ne dissimule plus : Amour est plus féroce
    A brûler ceux qui ploient contre leur gré.
Mais à quoi bon les soins de tes souples cheveux,
    Le changement fréquent de tes coiffures ?
A quoi bon ta pommette ornée d'un fard qui brille,
    Tes ongles arrondis par un métier savant ?
C'est en vain que tu peux changer de vêtements,
    Serrer ton pied dans une attache étroite.
Cette belle t'a plu, sans apprêt du visage,
    Sans que l'art ait paré sa belle tête...
D'une vieille, les chants, l'herbe qui fait pâlir
    T'auraient-ils envoûté dans la nuit calme ?
Un charme, d'un champ proche attire la moisson,
    Un charme arrête un serpent irrité,
Un charme, de son char ébranlerait la Lune
    Si ne résonnaient les coups sur le bronze ;
Mais pourquoi déplorer qu'un sort t'ait fait du mal ?

Forma nihil magicis utitur auxiliis :
sed corpus tetigisse nocet, sed longa dedisse
*   oscula, sed femori conseruisse femur.*
Nec tu difficilis puero tamen esse memento :
*   persequitur poenis tristia facta Venus.*
Munera ne poscas : det munera canus amator,
*   ut foueat molli frigida membra sinu.*
Carior est auro iuuenis, cui leuia fulgent
*   ora nec amplexus aspera barba terit ;*
huic tu candentes umero suppone lacertos,
*   et regum magnae despiciantur opes.*
At Venus inuenit puero concumbere furtim,
*   dum timet et teneros conserit usque sinus,*
et dare anhelanti pugnantibus umida linguis
*   oscula et in collo figere dente notas.*
Non lapis hanc gemmaeque iuuant, quae frigore sola
*   dormiat et nulli sit cupienda uiro.*
Heu ! sero reuocatur amor seroque iuuentas
*   cum uetus infecit cana senecta caput.*
Tum studium formae est : coma tunc mutatur, ut annos
*   dissimulet uiridi cortice tincta nucis ;*
tollere tunc cura est albos a stirpe capillos
*   et faciem dempta pelle referre nouam.*
At tu dum primi floret tibi temporis aetas
*   utere : non tardo labitur illa pede.*
Neu Marathum torque : puero quae gloria uicto est ?
*   in ueteres esto dura, puella, senes ;*
parce, precor, tenero : non illi sontica causa est,
*   sed nimius luto corpora tingit amor.*

La beauté n'use en rien d'aide magique.
D'avoir touché son corps, des longs baisers tu souffres,
    Et d'avoir noué ta cuisse à sa cuisse.
Et toi, pour ce garçon, veille à n'être pas dure,
    Car Vénus punit la sévérité.
N'exige nul cadeau : c'est là d'un vieux galant
    Qui veut sur un sein chauffer son corps froid.
L'or vaut moins qu'un jeune homme au visage splendide
    Dont la joue lisse ne déchire pas ;
Tu peux bien avancer tes bras sous ses épaules
    Et mépriser l'opulence des rois ;
Car tu sais en ton lit glisser l'adolescent
    Qui te serre, tremblant, sur sa poitrine,
En de profonds baisers mouiller sa bouche ardente,
    Et mettre à son cou des marques de dent.
Les joyaux ne sont rien pour celle qui, l'hiver,
    Doit dormir seule et sans qu'on la désire.
On rappelle trop tard l'amour et la jeunesse,
    Hélas ! quand la tête est flétrie par l'âge.
Alors la beauté compte ; et pour cacher les ans,
    L'écorce des noix teint la chevelure ;
On songe à s'arracher alors les cheveux blancs,
    A se refaire un visage sans rides.
Mais toi, jouis d'un temps à sa première fleur :
    C'est d'un pas sans lenteur que ce temps passe.
Ménage Marathus. L'accabler est sans gloire :
    C'est un enfant. Vaincs plutôt les vieillards.
Fais-lui grâce, il est jeune : il n'a pas un mal grave,
    Mais son teint pâle vient de trop d'amour :

Vel miser absenti maestas quam saepe querellas
    conicit et lacrimis omnia plena madent !
« Quid me spernis ? » ait. « Poterat custodia uinci :
    ipse dedit cupidis fallere posse deus.
Nota uenus furtiua mihi est, ut lenis agatur
    spiritus, ut nec dent oscula rapta sonum ;
et possum media quamuis obrepere nocte
    et strepitu nullo clam reserare fores.
Quid prosunt artes, miserum si spernit amantem
    et fugit ex ipso saeua puella toro ?
Vel cum promittit, subito sed perfida fallit,
    est mihi nox multis euigilanda malis :
dum mihi uenturam fingo, quodcumque mouetur,
    illius credo tunc sonuisse pedes. »
Desistas lacrimare, puer : non frangitur illa,
    et tua iam fletu lumina fessa tument.
Oderunt, Pholoe [36], moneo, fastidia diui,
    nec prodest sanctis tura dedisse focis :
hic Marathus quondam miseros ludebat amantes,
    nescius ultorem post caput esse deum ;
saepe etiam lacrimas fertur risisse dolentis
    et cupidum ficta detinuisse mora ;
nunc omnes odit fastus, nunc displicet illi
    quaecumque opposita est ianua dura sera.
At te poena manet, ni desinis esse superba ;
    quam cupies uotis hunc reuocare diem !

A l'absente, souvent, que de tristes reproches,
  Le malheureux ! Que de pleurs ruisselants !
« Mais pourquoi ce dédain ? J'allais tromper ta garde ;
  L'amour conduit la ruse des amants ;
Furtivement jouir et retenir le souffle,
  Prendre un baiser sans bruit, j'en connais l'art ;
Même au cœur de la nuit, je sais me faufiler
  Et sans qu'elle grince ouvrir une porte :
Mais à quoi bon, si la cruelle est dédaigneuse
  Et va jusqu'à fuir, même de mon lit ?
Quand elle me promet, la perfide me trompe,
  Et je dois veiller des nuits de tourment :
Sans doute viendra-t-elle... Il suffit qu'un rien bouge,
  Et je m'imagine entendre son pas ! »
Arrête, mon garçon, des larmes inutiles,
  Tes yeux affaiblis en sont tout gonflés.
Pour les fiertés les dieux n'ont, Pholoé, que haine !
  Et rien ne sert d'avoir brûlé l'encens.
Marathus s'est joué des malheureux amants,
  Ne sachant alors Amour si vengeur.
Souvent même, dit-on, les larmes l'ont fait rire,
  Il retardait l'amoureux par feinte ;
Maintenant il déteste et l'orgueil, et la porte
  Que lui oppose un sévère verrou.
Quant à toi, sois moins fière, ou crains le châtiment ;
  Ah ! que de vœux rappelleront ce jour !

Qvid mihi, si fueras miseros laesurus amores,
   foedera per diuos, clam uiolanda, dabas ?
A miser, et si quis primo periuria celat,
   sera tamen tacitis Poena uenit pedibus.
Parcite, caelestes : aequum est impune licere
   numina formosis laedere uestra semel.
Lucra petens habili tauros adiungit aratro
   et durum terrae rusticus urget opus,
lucra petituras freta per parentia uentis
   ducunt instabiles sidera certa rates :
muneribus meus est captus puer. At deus illa
   in cinerem et liquidas munera uertat aquas.
Iam mihi persoluet poenas, puluisque decorem
   detrahet et uentis horrida facta coma ;
uretur facies, urentur sole capilli,
   deteret inualidos et uia longa pedes.
Admonui quotiens : « Auro ne pollue formam :
   saepe solent auro multa subesse mala.
Diuitiis captus si quis uiolauit amorem,
   asperaque est illi difficilisque Venus.
Vre meum potius flamma caput et pete ferro
   corpus et intorto uerbere terga seca.
Nec titi celandi spes sit peccare paranti :

L'ADIEU À MARATHUS

Pourquoi, si tu devais trahir mon pauvre amour,
　　M'avoir fait par le ciel de faux serments ?
Sache bien, malheureux ! qu'on peut être perfide,
　　Mais qu'un jour vient à point le châtiment.
O dieux, pitié pour lui ! Sa beauté a des droits ;
　　Que vos lois, une fois, le tiennent quitte.
C'est pour le gain qu'il joint ses bœufs à la charrue,
　　Le laboureur, et qu'il sue à la tâche ;
Et qu'à travers les mers où bondissent les vents
　　Les vaisseaux se dirigent sur les astres :
Des cadeaux ont tenté mon ami ! Ces cadeaux,
　　Qu'un dieu les réduise en cendre, en eau vive !
J'en vais être vengé : la poussière et les vents
　　Gâteront sa coiffure et tous ses charmes,
Le soleil brûlera ses cheveux, son visage,
　　Ses pieds fins s'useront le long des routes !
« Que l'or ne souille pas ta beauté, lui disais-je,
　　Car l'or souvent recèle bien des maux.
Celui qui sacrifie l'amour à la richesse
　　S'attire les colères de Vénus.
Brûle plutôt mon front, transperce-moi le corps,
　　Et déchire mon dos à coups de fouet ;
Mais ne crois pas pouvoir me déguiser tes ruses !

est deus, occultos qui uetat esse dolos.
Ipse deus tacito permisit leue ministro
  ederet ut multo libera uerba mero ;
ipse`deus somno domitos emittere uocem
  iussit et inuitos facta tegenda loqui. »
Haec ego dicebam : nunc me fleuisse loquentem,
  nunc pudet ad teneros procubuisse pedes.
Tunc mihi iurabas nullo te diuitis auri
  pondere, non gemmis, uendere uelle fidem,
non tibi si pretium Campania terra daretur,
  non tibi si Bacchi cura Falernus ager,
— illis eriperet uerbis mihi sidera caeli
  lucere et puras fulminis esse uias. —
Quin etiam flebas : at non ego fallere doctus
  tergebam umentes credulus usque genas.
Quid faciam, nisi et ipse fores in amore puellae ?
  Sit precor exemplo sed leuis illa tuo.
O quotiens, uerbis ne quisquam conscius esset,
  ipse comes multa lumina nocte tuli !
Saepe insperanti uenit tibi munere nostro
  et latuit clausas post adoperta fores.
Tum miser interii, stulte confisus amari :
  nam poteram ad laqueos cautior esse tuos.
Quin etiam attonita laudes tibi mente canebam,
  et me nunc nostri Pieridumque pudet ;
illa uelim rapida Vulcanus carmina flamma
  torreat et liquida deleat amnis aqua.
Tu procul hinc absis, cui formam uendere cura est
  et pretium plena grande referre manu.

Un dieu toujours révèle les secrets :
Un dieu qui fait jaser en toute liberté
    L'esclave silencieux, quand il est ivre,
Ou qui, contre leur gré, rend bavards ceux qui dorment,
    Et les conduit à faire des aveux. »
Je t'ai bien averti ! — Je pleurais en parlant,
    J'étais à tes genoux : ah ! quelle honte !
Et toi, tu me jurais que ni des sommes d'or
    Ni des joyaux ne pourraient te corrompre,
Dût-on même t'offrir toute la Campanie
    Et les riches vignobles de Falerne :
J'aurais pu, à t'entendre, oublier que des astres
    Luisent au ciel, et que la foudre éclaire ;
Et quand tu larmoyais, étais-je assez naïf
    De toujours essuyer tes joues humides !
Mais tu as une amie qui fera ma vengeance :
    Comme le tien, que son cœur soit léger !
Que de fois, pour que nul ne puisse vous entendre,
    Je t'ai suivi de nuit, flambeau en main !
Que souvent, grâce à moi, tu avais la surprise
    De la trouver cachée contre ta porte.
J'ai cru en ton amour et je me suis perdu,
    Moi qui pouvais voir plus clair dans tes pièges :
Bien mieux, dans ma folie, je chantais tes louanges :
    Muses, qu'à présent j'en rougis pour vous !
Ces vers, je voudrais tant que le feu les dévore,
    Qu'un fleuve les détruise dans ses eaux !
Loin de moi ces beautés qui cherchent à se vendre
    Et pèsent leurs faveurs au poids de l'or.

At te qui puerum donis corrumpere es ausus
    rideat adsiduis uxor inulta dolis,
et, cum furtiuo iuuenem lassauerit usu,
    tecum interposita languida ueste cubet.
Semper sint externa tuo uestigia lecto
    et pateat cupidis semper aperta domus ;
nec lasciua soror dicatur plura bibisse
    pocula uel plures emeruisse uiros ;
illam saepe ferunt conuiuia ducere baccho,
    dum rota Luciferi prouocet orta diem ;
illa nulla queat melius consumere noctem
    aut operum uarias disposuisse uices.
At tua perdidicit : nec tu, stultissime, sentis,
    cum tibi non solita corpus ab arte mouet.
Tune putas illam pro te disponere crines
    aut tenues denso pectere dente comas ?
Ista ita persuadet facies, auroque lacertos
    uinciat et Tyrio prodeat apta sinu ?
Non tibi sed iuueni cuidam uult bella uideri,
    deuoueat pro quo remque domumque tuam ;
nec facit hoc uitio, sed corpora foeda podagra
    et senis amplexus culta puella fugit.
Huic tamen accubuit noster puer : hunc ego credam
    cum trucibus uenerem iungere posse feris.
Blanditiasne meas aliis tu uendere es ausus,
    tune aliis demens oscula ferre mea ?
Tum flebis, cum me uinctum puer alter habebit
    et geret in regno regna superba tuo.

Et toi qui n'as pas craint de corrompre un enfant,
    Que ta femme te trompe sans vergogne !
Puis, ayant en cachette épuisé quelque amant,
    Puisse-t-elle en ton lit demeurer froide !
Puissent tes draps porter l'empreinte d'autres hommes,
    Et ta maison toujours leur être ouverte ;
Et puisse-t-on douter si ton immonde sœur
    A bu plus qu'elle, et vaincu plus de mâles ! —
Cette sœur qui — dit-on — prolonge ses orgies
    Jusqu'aux lueurs naissantes de l'aurore,
Et qui, pour employer ses nuits, n'a pas d'égale,
    Ou pour régler la danse des plaisirs.
Ta femme s'est instruite : et toi, pauvre insensé,
    Tu ne vois pas qu'elle a changé d'allure !
Crois-tu que c'est pour toi qu'elle aime la coiffure
    Et passe le peigne en ses cheveux fins,
Qu'elle ait — vois ta figure ! — aux bras des anneaux d'or,
    Ou qu'elle porte une robe tyrienne ?
C'est pour un jeune amant qu'elle a soin d'être belle,
    Et pour qui tous tes biens pourraient périr !
Car toute jolie fille a droit de fuir sans crime
    Les membres dégoûtants d'un vieux podagre.
Marathus a couché avec lui : il pourrait
    Faire l'amour, je crois, avec des fauves !
Il n'a pas craint de vendre à d'autres les caresses,
    A d'autres les baisers qui m'étaient dus !
Ah ! tu pourras pleurer quand un autre garçon
    Triomphera du cœur dont tu es maître !

At tua tum me poena iuuet, Venerique merenti
   fixa notet casus aurea palma meos :
HANC TIBI FALLACI RESOLVTVS AMORE TIBVLLVS
   DEDICAT ET GRATA SIS, DEA, MENTE ROGAT.

Que ton deuil me soit joie ! Et qu'une palme d'or
  Atteste à Vénus ma reconnaissance :
« Délivré d'un perfide, ô Déesse, Tibulle
  Te prie de toujours lui être propice. »

Qvis fuit, horrendos primus qui protulit enses ?
  Quam ferus et uere ferreus ille fuit !
Tum caedes homimum generi, tum proelia nata
  et breuior dirae mortis aperta uia est.
An nihil ille miser meruit, nos ad mala nostra
  uertimus, in saeuas quod dedit ille feras ?
Diuitis hoc uitium est auri, nec bella fuerunt,
  faginus astabat cum scyphus ante dapes ;
non arces, non uallus erat, somnosque petebat
  securus uarias dux gregis inter oues.
Tunc mihi uita foret, Valgi, nec tristia nossem
  arma nec audissem corde micante tubam.
Nunc ad bella trahor, et iam quis forsitan hostis
  haesura in nostro tela gerit latere.
Sed patrii seruate Lares : aluistis et idem,
  cursarem uestros cum tener ante pedes.
Neu pudeat prisco uos esse e stipite factos :
  sic ueteris sedes incoluistis aui.
Tunc melius tenuere fidem, cum paupere cultu
  stabat in exigua ligneus aede deus ;
hic placatus erat, seu quis libauerat uua,
  seu dederat sanctae spicea serta comae ;
atque aliquis uoti compos liba ipse ferebat

HYMNE À LA PAIX

Quel homme, le premier, créa l'horrible épée ?
    Quel être cruel, ah ! quel cœur de fer !
Les meurtres, les combats vinrent dès lors au monde ;
    Plus courte s'ouvrit la voie de la mort.
Paix à ce malheureux : l'arme contre les fauves,
    Ce don, pour nos maux n'en usons-nous pas ?
Le coupable, c'est l'or : la guerre n'existait
    Quand face aux plats la coupe était de hêtre ;
Point de retranchements ; le berger s'endormait
    Parmi ses brebis tachetées, tranquille.
Vie rêvée !... J'aurais ignoré les tristes armes
    Et le cœur battant au son des trompettes.
On me traîne à la guerre : un ennemi peut-être
    Porte le trait que mon flanc retiendra.
Lares, protégez-moi, vous qui m'avez nourri,
    Aux pieds de qui je courais tout enfant.
Faits du bois d'un vieux tronc, n'éprouvez pas de honte :
    Vous avez peuplé le toit de l'aïeul.
O piété d'autrefois !... Objet d'un culte pauvre,
    Le dieu se tenait en son petit temple ;
On l'honorait de grappes de raisin, d'épis
    Tressés en couronne à son front sacré ;
Alors l'homme exaucé lui portait des gâteaux ;

postque comes purum filia parua fauum.
At nobis aerata, Lares, depellite tela,
  hostiaque e plena rustica porcus hara ;
hanc pura cum ueste sequar myrtoque canistra
  uincta geram, myrto uinctus et ipse caput.
Sic placeam uobis : alius sit fortis in armis,
  sternat et aduersos Marte fauente duces,
ut mihi potanti possit sua dicere facta
  miles et in mensa pingere castra mero.
Quis furor est atram bellis arcessere Mortem ?
  Imminet et tacito clam uenit illa pede.
Non seges est infra, non uinea culta, sed audax
  Cerberus et Stygiae nauita turpis aquae ;
illic perscissisque genis ustoque capillo
  errat ad obscuros pallida turba lacus [37].
Quin potius laudandus hic est quem prole parata
  occupat in parua pigra senecta casa !
Ipse suas sectatur oues, at filius agnos,
  et calidam fesso comparat uxor aquam.
Sic ego sim, liceatque caput candescere canis
  temporis et prisci facta referre senem.
Interea Pax arua colat : Pax candida primum
  duxit araturos sub iuga curua boues ;
Pax aluit uites et sucos condidit uuae,
  funderet ut nato testa paterna merum ;
Pace bidens uomerque nitent, at tristia duri
  militis in tenebris occupat arma situs.
Rusticus e lucoque uehit, male sobrius ipse,
  uxorem plaustro progeniemque domum.

Sa jeune enfant, ensuite, du miel pur.
Gardez-moi, Lares, des traits d'airain : une truie
  Vous sera de mon étable offerte ;
Je la suivrai vêtu de blanc, corbeille et tête
  Ceintes avec des guirlandes de myrte.
Puissé-je ainsi vous plaire ! Et qu'un autre, plus brave,
  Ruine, aidé de Mars, les chefs ennemis,
Pour qu'en buvant j'écoute un récit de soldat
  Traçant dans du vin son camp sur la table.
Rechercher aux combats la mort, quelle folie !
  Elle est ici qui vient à pas secrets.
Sous terre il n'y a pas de champs de blé, de vignes,
  Mais Cerbère, et l'affreux nocher du Styx ;
Et le long des lacs noirs rôdent des foules pâles
  Aux joues meurtries et aux cheveux brûlés.
Ah ! bien mieux l'être humain que surprend un grand âge
  Dans son logis, auprès de ses enfants !
Il suit ses brebis ; son fils, les agneaux ; l'épouse
  Prépare à sa fatigue de l'eau chaude.
Un jour, puissé-je ainsi voir ma tête blanchir,
  Et, vieillard, raconter les jours d'antan.
Mais que la blanche Paix féconde nos campagnes,
  Elle qui plia les bœufs au labour ;
Nourrice de la vigne, elle abrita son suc
  Pour qu'un père à son fils verse une jarre ;
Et la houe, et le soc luisent, lorsque les armes
  Sont dévorées de rouille dans la nuit ;
D'une fête en forêt, quelque ivre campagnard
  Rentre avec sa famille en chariot...

Sed Veneris tunc bella calent, scissosque capillos
   femina perfractas conqueriturque fores ;
flet teneras subtusa genas : sed uictor et ipse
   flet'sibi dementes tam ualuisse manus ;
at lasciuus Amor rixae mala uerba ministrat,
   inter et iratum lentus utrumque sedet.
A lapis est ferrumque, suam quicumque puellam
   uerberat : e caelo deripit ille deos.
Sit satis e membris tenuem perscindere uestem,
   sit satis ornatus dissoluisse comae,
sit lacrimas mouisse satis : quater ille beatus
   quo tenera irato flere puella potest ;
sed manibus qui saeuus erit, scutumque sudemque
   is gerat et miti sit procul a Venere.
At nobis, Pax alma, ueni spicamque teneto,
   praefluat et pomis candidus ante sinus.

Vénus, ta lutte ardente ! Et la fille se plaint
    Qu'on la violente et qu'on brise sa porte ;
La larme est à sa joue ; mais lui, le vainqueur, pleure
    Des miracles qu'ont faits ses mains démentes ;
Alors l'amour folâtre aiguise des insultes,
    Demeurant impassible entre chacun.
Qui frappe sa maîtresse est de pierre, de fer :
    Du haut du ciel, il renverse les dieux.
Il suffit d'arracher son léger vêtement,
    Il suffit d'éployer sa chevelure,
De la faire pleurer : ah ! mille foix heureux
    L'amant dont la fureur tire des larmes !
Mais que l'homme cruel ne manie que les armes,
    Qu'il reste loin de la douce Vénus.
Toi, bonne Paix, approche, un épi à la main,
    Perdant tes fruits du pli blanc de ta robe.

Qvisqvis adest, faueat : fruges lustramus [38] *et agros,*
  ritus ut a prisco traditus exstat auo.
Bacche, ueni, dulcisque tuis e cornibus uua
  pendeat, et spicis tempora cinge, Ceres.
Luce sacra requiescat humus, requiescat arator,
  et graue suspenso uomere cesset opus.
Soluite uincla iugis : nunc ad praesepia debent
  plena coronato stare boues capite.
Omnia sint operata deo ; non audeat ulla
  lanificam pensis imposuisse manum.
Vos quoque abesse procul iubeo, discedat ab aris,
  cui tulit hesterna gaudia nocte Venus ;
casta placent superis : pura cum ueste uenite
  et manibus puris sumite fontis aquam.
Cernite, fulgentes ut eat sacer agnus ad aras [39]
  uinctaque post olea candida turba comas.
Di patrii, purgamus agros, purgamus agrestes ;
  uos mala de nostris pellite limitibus,
neu seges eludat messem fallacibus herbis,
  neu timeat celeres tardior agna lupos.
Tunc nitidus plenis confisus rusticus agris
  ingeret ardenti grandia ligna foco,
turbaque uernarum, saturi bona signa coloni,

LA FÊTE DE LA CAMPAGNE

Silence... On purifie les moissons et les champs
    Selon l'antique usage de nos pères.
Qu'à tes cornes, Bacchus, pende une grappe douce,
    Et toi, Cérès, ceins tes tempes d'épis.
Qu'en ce jour consacré les champs soient au repos ;
    Le soc suspendu, que cesse la peine.
Qu'on détache les jougs : les bœufs aux crèches pleines
    Doivent rester la tête couronnée.
Ce jour est dû au ciel : qu'aucune femme n'ose
    Mettre la main à sa tâche de laine.
Et vous, loin des autels ! c'est moi qui vous l'ordonne,
    Vous à qui la nuit donna le plaisir ;
Chasteté plaît au ciel : venez, vos habits purs ;
    Rendez pures vos mains à l'eau des sources.
Voyez l'agneau sacré marcher vers les autels,
    Et son cortège blanc ceint d'olivier.
Dieux, nous purifions nos champs, nos villageois ;
    Vous, chassez tout fléau de nos domaines !
Que de maigres épis ne trompent la récolte,
    Que le loup n'effraie la brebis qui traîne ;
Le paysan radieux, confiant dans ses terres,
    A l'ardent foyer mettra du grand bois,
Et tous ses serviteurs, gages de son aisance,

ludet et ex uirgis exstruet ante casas.
Euentura precor : uiden ut felicibus extis
   significet placidos nuntia fibra [40] *deos ?*
Nunc mihi fumosos ueteris proferte Falernos [41]
   consulis et Chio soluite uincla cado.
Vina diem celebrent : non festa luce madere
   est rubor, errantes et male ferre pedes.
Sed « bene Messallam » sua quisque ad pocula dicat,
   nomen et absentis singula uerba sonent.
Gentis Aquitanae celeber Messalla triumphis
   et magna intonsis gloria uictor auis,
huc ades aspiraque mihi, dum carmine nostro
   redditur agricolis gratia caelitibus.
Rura cano rurisque deos : his uita magistris
   desueuit querna pellere glande famem ;
illi compositis primum docuere tigillis
   exiguam uiridi fronde operire domum ;
illi etiam tauros primi docuisse feruntur
   seruitium et plaustro supposuisse rotam.
Tum uictus abiere feri, tum consita pomus,
   tum bibit inriguas fertilis hortus aquas,
aurea tum pressos pedibus dedit uua liquores
   mixtaque securo est sobria lympha mero.
Rura ferunt messes, calidi cum sideris aestu
   deponit flauas annua terra comas ;
rure leuis uerno flores apis ingerit alueo,
   compleat ut dulci sedula melle fauos.
Agricola adsiduo primum satiatus aratro
   cantauit certo rustica uerba pede

Joueront à dresser des toits de branchages.
Mes vœux vont s'accomplir : voyez-vous les viscères
    Nous signifier la faveur des dieux ?
Qu'à présent l'on me montre un Falerne bien vieux
    Et qu'on descelle une jarre de Chio.
Buvons à ce beau jour : être ivre, quand c'est fête,
    Et marcher de travers n'est pas honteux.
Levons à la santé de Messalla nos coupes,
    Et que son nom résonne en son absence.
Vainqueur en Aquitaine, illustre Messalla,
    Toi qui fais grand honneur à tes ancêtres,
Viens ici m'inspirer, tandis que mon poème
    Rend grâces aux dieux des travaux rustiques.
Je chante la campagne et ses dieux : ils apprirent
    A ne plus chasser la faim par des glands ;
Ils montrèrent comment assembler des solives
    Et couvrir de feuillage une cabane ;
Ils montrèrent aux bœufs, dit-on, l'art de servir,
    Et joignirent la roue au chariot.
Dès lors on fit la cuisine, on cultiva les fruits,
    Et le jardin fécond but d'abondance,
Et la grappe dorée rejeta sa liqueur,
    Et l'eau coupa le vin pur qui apaise.
Aux champs vient la moisson, quand au fort de l'été
    La terre ôte, chaque an, sa toison blonde ;
Et l'abeille, au printemps, fait provision des fleurs,
    Soigneuse d'emplir la ruche de miel.
Alors le laboureur, lassé de sa charrue,
    Se mit à cadencer des chants rustiques,

et satur arenti primum est modulatus auena
  carmen, ut ornatos diceret ante deos,
agricola et minio suffusus, Bacche, rubenti
  primus inexperta duxit ab arte choros ;
huic datus a pleno, memorabile munus, ouili
  dux pecoris curtas auxerat hircus opes.
Rure puer uerno primum de flore coronam
  fecit et antiquis imposuit Laribus,
rure etiam teneris curam exhibitura puellis
  molle gerit tergo lucida uellus ouis :
hinc et femineus labor est, hinc pensa colusque,
  fusus et adposito pollice uersat opus,
atque aliqua adsidue textrix operata mineruam [42]
  cantat, et appulso tela sonat latere.
Ipse quoque inter agros interque armenta Cupido
  natus et indomitas dicitur inter equas ;

illic indocto primum se exercuit arcu ;
  ei mihi, quam doctas nunc habet ille manus !
Nec pecudes, uelut ante, petit : fixisse puellas
  gestit et audaces perdomuisse uiros ;
hic iuueni detraxit opes, hic dicere iussit
  limen ad iratae uerba pudenda senem ;
hoc duce custodes furtim transgressa iacentes
  ad iuuenem tenebris sola puella uenit
et pedibus praetemptat iter suspensa timore,
  explorat caecas cui manus ante uias.
A miseri, quos hic grauiter deus urget ! at ille
  felix, cui placidus leniter adflat Amor.
Sancte, ueni dapibus festis, sed pone sagittas

Et, repu, modula le premier sur sa flûte
    Un air qu'il pût jouer devant les dieux ;
C'est lui, le laboureur, qui, barbouillé de rouge,
    Mena, ô Bacchus, les premières danses ;
On offrait à ce dieu, don mémorable, un bouc, —
    Grande richesse pour de maigres biens.
C'est aux champs que l'enfant fit de fleurs printanières
    Une couronne aux antiques dieux Lares,
Et que pour occuper les douces jeunes filles
    la blanche brebis porte flocons de laine :
De là vient le labeur quotidien de la femme,
    Et la quenouille ; — et tourne le fuseau,
Tandis qu'une fileuse attentive à la tâche
    Chante en faisant retentir le métier.
On dit même qu'Amour naquit à la campagne
    Parmi les troupeaux, les juments sauvages ;
Et c'est là qu'il apprit à s'exercer à l'arc.
    Hélas ! qu'à présent ses mains sont habiles !
Il n'aime plus percer les bêtes, mais les filles,
    Et terrasse à plaisir les audacieux ;
Il ruine le jeune homme, il pousse le vieillard
    A dire des horreurs à sa cruelle.
Grâce à l'Amour la belle échappe à ses gardiens
    Et va seule la nuit vers son amant,
Elle avance hésitante, et, retenant le souffle,
    Retrouve son chemin, les bras tendus.
Malheureux les humains qu'Amour vivement presse !
    Heureux celui pour qui son souffle est doux.
C'est fête, enfant divin, sois de notre banquet,

et procul ardentes hinc, precor, abde faces.
Vos celebrem cantate deum pecorique uocate
   uoce ; palam pecori, clam sibi quisque uocet,
aut etiam sibi quisque palam : nam turba iocosa
   obstrepit et Phrygio tibia curua sono [43].
Ludite : iam Nox iungit equos, currumque sequuntur
   matris lasciuo sidera fulua choro,
postque uenit tacitus furuis circumdatus alis
   Somnus et incerto Somnia nigra pede [44].

Mais sans tes traits ni tes torches ardentes !
Et vous, louez bien fort ce dieu, pour vos troupeaux,
   — Bien fort! mais tout bas chacun pour soi-même,
Ou même à haute voix, car la foule joyeuse
   Et la flûte phrygienne couvrent tout.
Jouez ! Déjà la nuit assemble ses chevaux,
   Mère suivie du chœur dansant des astres,
Et voici que sans bruit vient sur ses ailes sombres
   Le Sommeil peuplé de Songes obscurs.

Phoebe, faue : nouus ingreditur tua templa sacerdos [45] *;*
  huc age cum cithara carminibusque ueni :
nunc te uocales impellere pollice chordas,
  nunc precor ad laudes flectere uerba meas.
Ipse triumphali deuinctus tempora lauro,
  dum cumulant aras, ad tua sacra ueni ;
sed nitidus pulcherque ueni : nunc indue uestem
  sepositam, longas nunc bene pecte comas,
qualem te memorant, Saturno rege fugato,
  uictori laudes concinuisse Ioui.
Tu procul euentura uides, tibi deditus augur
  scit bene quid fati prouida cantet auis,
tuque regis sortes, per te praesentit haruspex,
  lubrica signauit cum deus exta notis [33] *;*
te duce Romanos numquam frustrata Sibylla [46]*,*
  abdita quae senis fata canit pedibus.
Phoebe, sacras Messalinum sine tangere chartas
  uatis, et ipse, precor, quid canat illa doce.
Haec dedit Aeneae sortes, postquam ille parentem
  dicitur et raptos sustinuisse Lares
nec fore credebat Romam, cum maestus ab alto
  Ilion ardentes respiceretque deos
— Romulus aeternae nondum formauerat urbis

ÉLOGE DE MESSALINUS

En ton temple, Phœbus, arrive un nouveau prêtre :
  Avec ta lyre et tes chants, viens à nous.
Fais vibrer sous tes doigts les cordes musicales
  Et rends mon verbe propre à ta louange ;
Et le front couronné du laurier triomphal,
  Viens à ton culte : on charge tes autels.
Mais sois resplendissant, — mets ton habit de fête,
  Peigne avec art ta longue chevelure,
Tel qu'au jour où, dit-on, le roi Saturne en fuite,
  Tu chantas Jupiter victorieux.
Tu vois dans l'avenir ; ton augure comprend
  Ce qu'en son chant dit l'oiseau prophétique ;
Et tu règles les sorts ; grâce à toi l'haruspice
  Lit les signes divins dans les viscères,
Et jamais aux Romains ne mentit la Sibylle
  Qui annonce en vers les destins secrets.
Laisse aux livres sacrés toucher Messalinus,
  Instruis-le des savoirs de la prêtresse ;
C'est elle qui prédit à Enée sa fortune
  Quand il eut sauvé son père et ses Lares ;
Il ne se doutait pas que Rome un jour dût être,
  Lorsqu'il vit, de la mer, Troie embrasée.
Romulus n'avait point encor fondé la ville

moenia, consorti non habitanda Remo ;
sed tunc pascebant herbosa Palatia uaccae
   et stabant humiles in Iouis arce casae ;
lacte madens illic suberat Pan ilicis umbrae
   et facta agresti lignea falce Pales,
pendebatque uagi pastoris in arbore uotum,
   garrula siluestri fistula sacra deo,
fistula cui semper decrescit harundinis ordo :
   nam calamus cera iungitur usque minor.
At qua Velabri [47] *regio patet, ire solebat*
   exiguus pulsa per uada linter aqua ;
illa saepe gregis diti placitura magistro
   ad iuuenem festa est uecta puella die,
cum qua fecundi redierunt munera ruris,
   caseus et niueae candidus agnus ouis — :
« *Impiger Aenea* [48], *uolitantis frater Amoris,*
   Troica qui profugis sacra uehis ratibus,
iam tibi Laurentes adsignat Iuppiter agros,
   iam uocat errantes hospita terra Lares ;
illic sanctus eris, cum te ueneranda Numici
   unda dem caelo miserit indigetem.
Ecce super fessas uolitat Victoria puppes ;
   tandem ad Troianos diua superba uenit ;
ecce mihi lucent Rutulis incendia castris :
   iam tibi praedico, barbare Turne, necem.
Ante oculos Laurens castrum murusque Lauini est
   Albaque ab Ascanio condita Longa duce.
Te quoque iam uideo, Marti placitura sacerdos
   Ilia, Vestales deseruisse focos,

Eternelle, où Remus ne devait vivre,
    Mais des vaches paissaient l'herbe du Palatin,
    D'humbles huttes peuplaient le Capitole ;
Pan, à l'ombre d'un chêne, était mouillé de lait
    Auprès d'une Palès taillée en bois ;
Un arbre retenait la flûte babillarde
    Qu'un berger consacrait au dieu silvestre, —
Une flûte formée de roseaux décroissants
    Joints jusqu'au plus petit par de la cire.
Dans l'actuel Vélabre, on voyait sur les eaux
    Se déplacer une barque légère ;
Cette eau porta souvent vers son riche berger
    La coquette amoureuse, aux jours de fête,
Qui ramenait les dons de la terre opulente,
    Le fromage et l'agneau blanc comme neige. —
« Frère d'Amour ailé, fougueux Enée qui portes
    Sur tes vaisseaux fuyards les dieux de Troie,
Jupiter dès ce jour t'attribue le Latium,
    Dès ce jour cette terre attend tes Lares ;
Ton culte naîtra là, quand l'eau du Numicius
    T'aura constitué dieu tutélaire.
Sur tes poupes fourbues, vois planer la Victoire,
    — Fière déesse enfin de ton côté !
Voici que l'incendie brille au camp des Rutules,
    Et que la mort t'attend, cruel Turnus !
Mon regard aperçoit Laurente et Lavinium,
    Et, fondée par Ascagne, Albe-la-Longue ;
Vestale aimée de Mars, toi aussi je te vois,
    Loin du foyer sacré, sans bandelettes,

concubitusque tuos furtim uittasque iacentes
  et cupidi ad ripas arma relicta dei.
Carpite nunc, tauri, de septem montibus herbas
  dum licet : hic magnae iam locus urbis erit.
Roma, tuum nomen terris fatale regendis,
  qua sua de caelo prospicit arua Ceres,
quaque patent ortus et qua fluitantibus undis
  Solis anhelantes abluit [49] amnis equos.
Troia quidem tunc se mirabitur et sibi dicet
  uos bene tam longa consuluisse uia.
Vera cano : sic usque sacras innoxia laurus
  uescar, et aeternum sit mihi uirginitas. »
Haec cecinit uates et te sibi, Phoebe, uocauit,
  iactauit fusas et caput ante comas.
Quidquid Amalthea, quidquid Marpesia dixit
  Herophile, Phyto Graia quod admonuit,
quod, quae Aniena sacras Tiburs per flumina sortes
  portarit sicco pertuleritque sinu —
hae fore dixerunt belli mala signa cometen,
  multus ut in terras deplueretque lapis ;
atque tubas atque arma ferunt strepitantia caelo
  audita et lucos praecinuisse fugam ;
ipsum etiam Solem defectum lumine uidit
  iungere pallentes nubilus annus equos,
et simulacra deum lacrimas fudisse tepentes
  fataque uocales praemonuisse boues, — .
haec fuerant olim [50] : sed tu iam mitis, Apollo,
  prodigia indomitis merge sub aequoribus,
et succensa sacris crepitet bene laurea flammis,

Te donner en cachette au dieu plein de désir
   Qui a laissé ses armes sur la rive.
Tant qu'il est temps, taureaux, paissez les sept collines :
   Ici va naître une grande cité !
Rome, ton nom t'appelle à régner sur la terre
   Que contemple Cérès du haut des cieux,
Des contrées du levant jusqu'aux flots élancés
   Où vont plonger les chevaux du Soleil.
Alors Troie se dira, étonnée d'elle-même,
   Que tant d'errances l'auront bien servie.
Autant que je dis vrai, puissé-je, vierge et pure,
   Toujours me nourrir de lauriers sacrés. »
Ainsi fit la prêtresse, en t'invoquant, Phœbus,
   En lançant sur son front sa chevelure.
Et tout ce qu'Amalthée, tout ce qu'Hérophilé,
   Ce que Phyto la Grecque présagèrent,
Et les sorts qu'à Tibur la Sibylle maintint
   Sans les mouiller, dans l'Anio, tout contre elle, —
Tout cela annonçait, triste signal de guerre :
   Une comète, et des pluies de cailloux ;
On entendit au ciel trompettes et bruits d'armes,
   Les bois sacrés prédirent la déroute ;
On vit toute une année le Soleil sans éclat
   Mener dans le brouillard ses chevaux pâles,
Et les statues des dieux verser des larmes tièdes,
   Et des bœufs parlants dire les destins.
Voilà pour le passé. Mais, toi, doux Apollon,
   Engloutis dans l'abîme ces prodiges,
Et qu'en pétillant bien dans les flammes sacrées,

omine quo felix et sacer annus erit.
Laurus ubi bona signa dedit, gaudete coloni,
  distendet spicis horrea plena Ceres,
oblitus et musto feriet pede rusticus uuas,
  dolia dum magni deficiantque lacus ;
ac madidus baccho sua festa Palilia [5] pastor
  concinet : a stabulis tunc procul este lupi ;
ille leuis stipulae sollemnis potus aceruos
  accendet, flammas transilietque sacras ;
et fetus matrona dabit, natusque parenti
  oscula comprensis auribus eripiet,
nec taedebit auum paruo aduigilare nepoti
  balbaque cum puero dicere uerba senem.
Tunc operata deo pubes discumbet in herba,
  arboris antiquae qua leuis umbra cadit,
aut e ueste sua tendent umbracula sertis
  uincta, coronatus stabit et ipse calix ;
at sibi quisque dapes et festas exstruet alte
  caespitibus mensas caespitibusque torum.
Ingeret hic potus iuuenis maledicta puellae,
  postmodo quae uotis inrita facta uelit :
nam ferus ille suae plorabit sobrius idem
  et se iurabit mente fuisse mala.
Pace tua pereant arcus pereantque sagittae,
  Phœbe, modo in terris erret inermis Amor.
Ars bona : sed postquam sumpsit sibi tela Cupido,
  heu ! heu ! quam multis ars dedit ista malum !
Et mihi praecipue ; iaceo cum saucius annum
  et faueo morbo, cum iuuat ipse dolor,

Le laurier annonce une année heureuse.
Joie pour vous, laboureurs : le laurier est propice,
   Cérès va combler vos greniers d'épis !
Le vigneron rougi foulera la vendange
   Jusqu'à faire manquer tonneaux et cuves ;
Pris de vin, le berger célèbrera Palès,
   — Loups, restez au loin en ce jour de fête !
Puis il allumera des tas légers de chaume
   Pour franchir d'un saut les flammes sacrées ;
Un bambin lui naîtra : l'enfant, pour des baisers,
   Saisira les oreilles de son père,
Et l'aïeul n'aura d'yeux que pour ce petit-fils,
   Mêlant au sien son bégaiement de vieux.
Après l'offrande aux dieux, les jeunes gens, sur l'herbe,
   Iront s'étendre à l'ombre d'un vieil arbre
Ou de leurs vêtements tendus dans les guirlandes,
   Avec des coupes couronnées de fleurs ;
Et là, pour le banquet, tout un chacun devra
   Dresser sa table et son lit de gazon ;
Alors le jeune homme, ivre, insultera l'amie
   Pour regretter ensuite ses paroles,
Car sitôt dégrisé, le cruel pleurera
   Tout en jurant qu'il n'avait plus sa tête.
Phœbus, puissent périr et les arcs et les flèches,
   Puisse Amour, désormais, errer sans armes :
Ton art était précieux, mais depuis qu'il en use,
   Que cet art, hélas ! a fait de malheurs.
Le mien, surtout ! Je meurs, depuis un an, d'amour,
   Et je nourris la douleur qui m'est chère

usque cano Nemesim, sine qua uersus mihi nullus
   uerba potest iustos aut reperire pedes.
At tu, nam diuum seruat tutela poetas,
   praemoneo, uati parce, puella, sacro,
ut Messalinum celebrem, cum praemia belli
   ante suos currus oppida uicta feret,
ipse gerens laurus ; lauro deuinctus agresti
   miles « io ! » magna uoce « triumphe [51] » canet.
Tunc Messalla meus pia det spectacula turbae
   et plaudat curru praetereunte pater.
Adnue : sic tibi sint intonsi, Phoebe, capilli,
   sic tua perpetuo sit tibi casta soror.

En chantant Némésis, sans laquelle mon vers
    Ne peut trouver ni verbe, ni mesure.
Mais les dieux, Némésis, protègent les poètes :
    Respecte en moi un poète sacré !
Et puissé-je louer Messalinus glorieux
    De suivre en son char ses trophées de guerre,
Le laurier à la main ; de laurier couronné,
    Le soldat, bien haut, criera la victoire :
Ah ! mon cher Messalla, donne alors ce spectacle
    D'un père applaudissant au char d'un fils !
Exauce-moi, Phoebus ! Puisse ta chevelure
    Rester longue, et ta sœur, vierge à jamais.

CASTRA Macer [52] sequitur : tenero quid fiet Amori ?
  Sit comes et collo fortiter arma gerat ?
et, seu longa uirum terrae uia seu uaga ducent
  aequora, cum telis ad latus ire uolet ?
Vre, puer, quaeso, tua qui ferus otia liquit,
  atque iterum erronem sub tua signa uoca.
Quod si militibus parces, erit hic quoque miles,
  ipse leuem galea qui sibi portet aquam.
Castra peto, ualeatque Venus ualeantque puellae :
  et mihi sunt uires et mihi facta tuba est.
Magna loquor, sed magnifice mihi magna locuto
  excutiunt clausae fortia uerba fores.
Iuraui quotiens rediturum ad limina numquam !
  Cum bene iuraui, pes tamen ipse redit.
Acer Amor, fractas utinam tua tela sagittas,
  si licet, extinctas aspiciamque faces !
Tu miserum torques, tu me mihi dira precari
  cogis et insana mente nefanda loqui.
Iam mala finissem leto, sed credula uitam
  Spes fouet et fore cras semper ait melius ;
Spes alit agricolas, Spes sulcis credit aratis
  semina quae magno fenore reddat ager ;
haec laqueo uolucres, haec captat harundine pisces,
  cum tenues hamos abdidit ante cibus ;
Spes etiam ualida solatur compede uinctum :

102

L'ADIEU À NÉMÉSIS

Macer part aux armées : Amour, que deviens-tu ?
    Le suivras-tu, porteras-tu ses armes ?
Et s'il va par la terre, et s'il va par les mers,
    L'accompagneras-tu, avec tes flèches ?
Brûle, enfant, le cruel qui trahit tes loisirs,
    Rappelle à toi l'homme qui s'aventure.
Fais-tu grâce aux soldats ? — Je serai ce soldat
    Qui porte son eau claire dans son casque.
Je pars ! Alors adieu l'amour, les jeunes filles :
    La trompette est pour moi qui suis un homme !
Mais je dis de grands mots, et ces dures paroles
    Tombent devant une porte fermée.
Que de fois j'ai juré de n'y plus revenir !
    Mais aussitôt mon pas va de lui-même.
Puissé-je, dur Amour, voir tes flèches brisées,
    Et, s'il se peut, voir tes torches éteintes,
Bourreau qui me contrains moi-même à me maudire,
    A blasphémer, à perdre la raison !
Mes jours auraient pris fin, sans le feu d'un espoir
    Qui toujours nous convainc d'un temps meilleur.
L'espoir aide au labour, l'espoir prête au sillon
    La graine qu'il doit rendre avec usure ;
L'espoir guette l'oiseau, il guette le poisson, —
    L'hameçon caché, frêle, sous l'appât ;
L'espoir console aussi l'esclave de ses fers :

crura sonant ferro, sed canit inter opus ;
Spes facilem Nemesim spondet mihi, sed negat illa ;
ei mihi, ne uincas, dura puella, deam.
Parce, per immatura tuae precor ossa sororis :
sic bene sub tenera parua quiescat humo.
Illa mihi sancta est, illius dona sepulcro
et madefacta meis serta feram lacrimis,
illius ad tumulum fugiam supplexque sedebo
et mea cum muto fata querar cinere.
Non feret usque suum te propter flere clientem ;
illius ut uerbis, sis mihi lenta, ueto,
ne tibi neglecti mittant mala somnia manes,
maestaque sopitae stet soror ante torum,
qualis ab excelsa praeceps delapsa fenestra
uenit ad infernos sanguinolenta lacus [53].
Desino, ne dominae luctus renouentur acerbi :
non ego sum tanti, ploret ut illa semel ;
nec lacrimis oculos digna est foedare loquaces :
lena nocet nobis, ipsa puella bona est ;
lena necat miserum Phryne [54] furtimque tabellas
occulto portans itque reditque sinu ;
saepe, ego cum dominae dulces a limine duro
agnosco uoces, haec negat esse domi ;
saepe, ubi nox mihi promissa est, languere puellam
nuntiat aut aliquas extimuisse minas.
Tunc morior curis, tunc mens mihi perdita fingit,
quisue meam teneat, quot teneatue modis ;
tunc tibí, lena, precor diras : satis anxia uiuas,
mouerit e uotis pars quotacumque deos.

Ses jambes en résonnent mais il chante ;
L'espoir, de Némésis me promet l'indulgence ;
    Non ? — Cruelle, pourquoi vaincre l'amour !
J'en appelle à ta sœur, à ses restes précoces :
    Aie pitié ! Sa paix en sera plus douce.
Cette enfant m'est sacrée, j'honorerai sa tombe
    De dons, de guirlandes mouillées de pleurs ;
Réfugié tout contre, assis et suppliant,
    Je me plaindrai à sa cendre muette,
Elle refusera que son protégé souffre ;
    Ecoute-la, et cesse tes froideurs :
Ses mânes offensés tourmenteraient tes songes,
    Ta sœur, à ton lit, triste surgirait
Telle que renversée d'une haute fenêtre
    Elle vint sanglante aux lacs infernaux.
Mais ne réveillons pas la douleur d'une amante !
    Je ne vaux pas qu'elle verse un seul pleur,
Ses beaux yeux ne méritent pas de flétrissure ;
    Tout le mal nous vient d'une entremetteuse :
Phryné seule me tue, qui dans ses va-et-vient
    Cache dans son sein des billets secrets ;
Souvent, du seuil cruel, j'entends ma douce amie,
    Et celle-là prétend qu'elle est absente !
Et souvent, quand la nuit m'est promise, elle invoque
    La migraine ou la crainte d'un danger !
Alors je meurs d'angoisse, et ma folie m'invente
    Un rival qui l'étreint, ou bien leurs poses :
Maudite maquerelle, assez sois-tu damnée,
    Si peu que le ciel entende mes vœux !

Svlpicia est tibi culta tuis, Mars magne, kalendis [55] *;*
  spectatum e caelo, si sapis, ipse ueni ;
hoc Venus ignoscet ; at tu, uiolente, caueto
  ne tibi miranti turpiter arma cadant :
illius ex oculis, cum uult exurere diuos,
  accendit geminas lampadas acer Amor.
Illam, quidquid agit, quoquo uestigia mouit,
  componit furtim subsequiturque Decor ;
seu soluit crines, fusis decet esse capillis :
  seu compsit, comptis est ueneranda comis.
Vrit, seu Tyria uoluit procedere palla :
  urit, seu niuea candida ueste uenit.
Talis in aeterno felix Vertumnus [56] *Olympo*
  mille habet ornatus, mille decenter habet.
Sola puellarum digna est cui mollia caris
  uellera det sucis bis madefacta Tyros [57],
possideatque, metit quidquid bene olentibus aruis
  cultor odoratae diues Arabs segetis,
et quascumque niger rubro de litore gemmas
  proximus Eois colligit Indus aquis.
Hanc uos, Pierides, festis cantate kalendis,
  et testudinea Phœbe superbe lyra.
Hoc sollemne sacrum multos haec sumet in annos :
  dignior est uestro nulla puella choro.

BEAUTÉ DE SULPICIA

Sulpicia, puissant Mars, s'est parée pour ta fête :
    Si tu as bon goût, viens la contempler !
Vénus le permettra ; mais crains, dieu de la force,
    La honte d'en lâcher soudain tes armes :
Aux yeux de Sulpicia, pour enflammer les dieux,
    L'ardent Amour allume ses deux torches ;
Et la Grâce en secret règle ses mouvements,
    Accompagnant, où qu'elle aille, ses pas.
Ses cheveux flottent-ils ? — C'est ainsi qu'ils lui vont.
    Sont-ils coiffés ? — La chose est adorable.
Et l'on brûle à la voir aller vêtue de pourpre,
    Ou porter, éclatante, une robe de neige :
Dans l'Olympe éternel, ainsi, l'heureux Vertumne
    Revêt mille ornements qui lui siéent tous.
Elle seule mérite et les fines étoffes
    Que Tyr teint deux fois de sucs précieux,
Et les parfums qu'obtient en ses champs embaumés
    L'Arabe riche en moissons odorantes,
Et les perles qu'au bord de la mer Rouge amasse
    Le noir Indien, voisin de l'Orient.
En ce jour solennel, Muses, célébrez-la,
    Ainsi que toi, Phœbus, fier de ta lyre ;
Durant maintes années, vous lui rendrez hommage,
    Car nulle n'est plus digne de vos chœurs.

PÁRCE meo iuueni, seu quis bona pascua campi
    seu colis umbrosi deuia montis aper,
nec tibi sit duros acuisse in proelia dentes ;
    incolumem custos hunc mihi seruet Amor.
Sed procul abducit uenandi Delia cura :
    o pereant siluae deficiantque canes !
Quis furor est, quae mens, densos indagine colles
    claudentem teneras laedere uelle manus ?
Quidue iuuat furtim latebras intrare ferarum
    candidaque hamatis crura notare rubis ?
Sed tamen, ut tecum liceat, Cerinthe, uagari,
    ipsa ego per montes retia torta feram,
ipsa ego uelocis quaeram uestigia cerui
    et demam celeri ferrea uincla cani.
Tunc mihi, tunc placeant siluae, si, lux mea, tecum
    arguar ante ipsas concubuisse plagas :
tunc ueniat licet ad casses, inlaesus abibit,
    ne ueneris cupidae gaudia turbet, aper.
Nunc sine me sit nulla Venus, sed lege Dianae,
    caste puer, casta retia tange manu ;
et, quaecumque meo furtim subrepit amori,
    incidat in saeuas diripienda feras.
At tu uenandi studium concede parenti,
    et celer in nostros ipse recurre sinus.

SULPICIA ET CERINTHUS

Epargne mon amant, sanglier qui fréquentes
   La plaine riche ou le cœur des montagnes,
Ne va pas aiguiser tes défenses cruelles,
   Et qu'Amour me le rende sain et sauf.
Mais Diane et sa passion l'entraînent loin de moi :
   Ah ! puissent périr meutes et forêts !
Pourquoi tant de fureur à fermer des collines
   Et à vouloir blesser ses tendres mains ?
Quel plaisir d'approcher les fauves dans leur antre
   Et de griffer sa peau blanche aux taillis ?
Et pourtant, Cérinthus, pour te suivre partout,
   Je porterais tes filets par les monts,
Oui, de l'agile cerf je poursuivrais les traces,
   Et je détacherais l'ardent limier.
Que j'aimerais les bois, ô ma vie, s'il fallait
   Qu'au pied des rêts l'on me vît dans tes bras :
Qu'un sanglier survienne, il pourrait s'échapper
   Sans rien troubler du plaisir des amants.
Mais, loin de moi, sois chaste ; et comme le veut Diane,
   Ne prends tes filets que d'une main pure ;
Et celle qui voudrait me voler mon amour,
   Que les bêtes féroces la déchirent !
Ah ! laisse donc le goût de la chasse à ton père,
   Et reviens te jeter tout contre moi.

Qvi mihi te, Cerinthe, dies dedit, hic mihi sanctus
  atque inter festos semper habendus erit :
te nascente nouum Parcae cecinere puellis
  seruitium et dederunt regna superba tibi.
Vror ego ante alias : iuuat hoc, Cerinthe, quod uror,
  si tibi de nobis mutuus ignis adest ;
mutuus adsit amor, per te dulcissima furta
  perque tuos oculos per Geniumque rogo.
Mane Geni, cape tura libens uotisque faueto,
  si modo, cum de me cogitat, ille calet.
Quod si forte alios iam nunc suspiret amores,
  tunc precor infidos, sancte, relinque focos.
Nec tu sis iniusta, Venus : uel seruiat aeque
  uinctus uterque tibi uel mea uincla leua ;
sed potius ualida teneamur uterque catena,
  nulla queat posthac quam soluisse dies.
Optat idem iuuenis quod nos, sed tectius optat :
  nam pudet haec illum dicere uerba palam.
At tu, Natalis [58], *quoniam deus omnia sentis,*
  adnue : quid refert, clamne palamne roget ?

ANNIVERSAIRE DE CERINTHUS

Le jour qui te fit mien, Cérinthus, m'est sacré,
   Je le tiens à jamais pour jour de fête !
Ta naissance annonçait un nouvel esclavage
   Par un glorieux empire sur les cœurs :
Mieux que tous le mien brûle, et j'adore ce mal,
   O Cérinthus ! pourvu que tu l'éprouves.
Que notre amour soit un, au nom de nos caresses,
   De tes beaux yeux, de ton dieu tutélaire :
Génie, prends cet encens, et me sois favorable
   S'il est vrai que j'éveille son ardeur.
Mais que s'il soupirait après d'autres amours,
   Fuis, dieu sacré, un foyer infidèle !
Vénus, montre-toi juste : et que d'égales chaînes
   Nous lient à toi, — sinon délivre-m'en.
Mais plutôt puissions-nous si fort l'un être à l'autre
   Que rien ne vienne un jour nous séparer :
Voilà ce qu'en secret souhaite aussi mon amant
   Trop timide pour dire ce qu'il pense.
Génie, toi qui sais tout, en cet Anniversaire,
   — Dévoilé ou non, exauce son vœu.

QUAND IL EST MORT, LE POÈTE...

Si la mère de Memnon [59], si la mère d'Achille ont pleuré la mort de leur fils, et si les puissantes déesses ne sont pas insensibles à nos cruels destins, — plaintive Elégie, dénoue ta chevelure en signe de ce deuil injuste. Ah ! jamais tu n'auras mieux mérité ton nom [60] ! Celui qui fut ton poète et ta gloire, Tibulle, n'est plus qu'un corps sans vie qui brûle sur le bûcher.

Le fils de Vénus [61] vient de renverser son carquois, de briser son arc, d'éteindre son flambeau. Regardez comme il va, pitoyable, les ailes basses ; et comme, en se frappant de la main, il meurtrit sa poitrine dénudée. A son cou, ses cheveux épars sont mouillés de larmes, et l'on entend des sanglots s'entrecouper dans sa gorge ; c'est tel, dit-on, que pour assister aux obsèques de son frère Enée, il sortit de ta demeure, bel Ascagne [62]. Et Vénus ne fut pas moins bouleversée par la mort de Tibulle que lorsqu'un sanglier farouche déchira le flanc d'Adonis [63].

Pourtant, nous autres poètes recevons le titre de « sacrés », de « favoris de dieux » ; il en est même qui nous supposent un pouvoir divin. En vérité, tout ce qui est sacré, la mort inexorable le profane, et ses mains noires saisissent tout ce qui vit. Que servit à Orphée, le chantre de Thrace, d'être né d'Apollon et de Calliope ? Que lui servit d'avoir fasciné les animaux sauvages, vaincus par ses chants ? C'est un hymne de deuil qu'au fond des forêts le même Apollon chanta, dit-on, en appelant Linus, son fils, d'une lyre contrainte à résonner [64]. Voyez Homère, cette source intarissable des eaux du mont Piérus [65], à laquelle vont boire les poètes : lui aussi vécut un jour qui fut son dernier et qui l'engloutit dans le noir Averne [66]. Seuls les poèmes échappent au bûcher vorace ! Eternelle est l'œuvre des poètes ; éternelle, la renommée des malheurs de Troie ; éternelle, l'histoire de la toile interminable, détissée, par ruse, durant la nuit.

Ainsi, le nom de Némésis et le nom de Délie franchiront le temps, — l'une, la dernière passion de Tibulle ; l'autre, son premier amour. Quel fruit recueillent-elles de leur piété ? A quoi bon, maintenant, leurs sistres égyptiens [67] ? Leurs nuits de chasteté passées dans un lit solitaire ?

Quand un sort funeste s'empare des gens de bien, — pardonnez ce que je vais vous dire, ô dieux ! — je suis tenté de croire que vous n'existez pas. Vis pieusement : quoique pieux, tu devras mourir. Honore les dieux : la cruelle mort, malgré cela, viendra te précipiter de l'autel au fond du tombeau.

Compte sur tes réussites littéraires : Tibulle est là, qui gît. A peine reste-t-il de lui tout entier de quoi remplir une petite urne.

Est-ce toi, divin poète, qui fus dévoré par les flammes du bûcher ? Et n'ont-elles pas craint de se repaître de ton cœur ? Elles auraient pu brûler les temples dorés des dieux vénérables, ces flammes qui osèrent accomplir un pareil crime ! Elle a détourné son visage, la déesse qui réside sur les hauteurs du mont Eryx : oui, Vénus, certains disent même que tu n'as pas pu retenir des larmes.

Ce malheur vaut mieux, cependant, que d'être enterré dans l'île de Corfou, inconnu de tous, en n'importe quel sol. Ici, du moins, ta mère a fermé de ses doigts tes paupières mourantes ; tes cendres ont recueilli ses derniers présents. Ici, les cheveux en désordre et tout arrachés, ta sœur a partagé la douleur de ta pauvre mère. Némésis et ta première amie ont joint leurs baisers à ceux de ta famille et t'ont suivi jusqu'au bûcher. Dans un dernier adieu, Délie s'est écriée : « Tu m'as aimée en des temps plus heureux : tu étais en vie, tandis que j'étais ta passion unique ! » — A quoi Némésis répondit : « Pourquoi gémir d'un deuil qui me regarde ! C'est moi qu'il tenait de sa main défaillante, au moment de mourir. »

Pourtant, s'il survit de nous quelque chose de plus que le nom ou que l'ombre, c'est dans le vallon élyséen que Tibulle séjournera. Tu viendras au-devant de lui, ton jeune front couronné de lierre, docte Catulle [68], accompagné de ton cher Calvus [69]. Toi aussi, s'il est vrai qu'on t'accuse à tort d'avoir outragé ton ami, tu viendras l'accueillir, Gallus [70], toi qui fus si prodigue de ton sang et de ta vie. Si toutefois les corps laissent quelque ombre, ton ombre est la compagne de celles-ci, charmant Tibulle, et tu t'es ajouté aux rangs des bienheureux.

Ossements, reposez en paix dans l'urne qui vous abrite, c'est là mon vœu ; et puisse la terre, Tibulle, ne pas peser sur ta cendre.

OVIDE

NOTES

1. Souches figurant le dieu Terme qui délimite les propriétés, ainsi que pierres sacrées aux croisements des chemins.

2. Cérès, déesse des moissons ; l'épi est l'un de ses attributs.

3. Priape, dieu des jardins et de la fécondité. Sa statue peinte en rouge sert d'épouvantail.

4. Les Lares sont les dieux protecteurs de la maison et de la famille.

5. Palès, déesse des troupeaux, des bergers, des pâturages. Sa fête, le 21 avril, coïncidait avec l'anniversaire de la fondation de Rome par Romulus. Elle recevait, entre autres, des offrandes de lait.

6. Coutume romaine. Les trophées décorent la demeure du général vainqueur : murs et portes extérieures.

7. L'esclave qui faisait fonction de portier se tenait assis, enchaîné, à l'entrée de la maison.

8. C'est en effet du sang d'Ouranos émasculé par son fils Saturne et répandu dans la mer, que Vénus est née. Ses violentes origines font d'elle une déesse capable de cruauté.

9. Médée, la plus célèbre magicienne de l'Antiquité avec Circé. Hécate, divinité infernale et patronne de la magie, est toujours accompagnée de chiens noirs hurlants.

10. La Cilicie est une région d'Asie mineure. Allusion à la campagne de Messalla en Orient (voir l'élégie : « Anniversaire de Messalla »).

11. Phéacie : ancien nom de l'île de Corfou.

12. C'est-à-dire le samedi. La superstition du samedi, jour du sabbat, se répandait à Rome sous l'influence des Juifs qui s'y étaient établis en grand nombre.

13. Les sistres sont des instruments rythmiques du culte d'Isis, déesse égyptienne très en faveur à Rome auprès des courtisanes. Pour les fêtes d'Isis, la chasteté s'imposait aux femmes durant dix nuits.

14. Petite île voisine d'Alexandrie et centre égyptien du culte d'Isis.

15. Symbole sexuel par excellence mais dieu des amours « faciles » et d'apparence grossière, Priape est bizarrement élevé,

ici, à la qualité de « maître » dont l'enseignement n'est pas sans distinction.

16. Flèches, chevelures : ces attributs faisaient l'orgueil de ces deux déesses.

17. Les cheveux longs symbolisent la jeunesse. Les garçons les portaient ainsi jusqu'à l'âge adulte.

18. Le cheveu de pourpre de Nisus, roi de Mégare, lui assurait la conservation de son royaume. Sa fille Scylla le lui arracha par amour pour le roi Minos, son ennemi.

19. Jupiter ressuscita le jeune Pélops et remplaça par une épaule d'ivoire celle que Cérès avait mangée, lorsque Tantale avait servi les membres de son fils lors d'un repas offert aux dieux.

20. Ops ou Cybèle, femme de Saturne, mère des dieux et déesse de l'abondance. Son culte, sur le mont Ida, en Phrygie, se signalait par des rites sanglants : ses prêtres s'émasculaient et accompagnaient sa statue en un cortège itinérant et bruyant, au son des tambourins, des flûtes et des cymbales.

21. Ami de Tibulle inconnu. Il convenait, après le mariage, de renoncer aux garçons.

22. Cérémonies consacrées à la guérison de Délie malade. Surnommée « Trivia » car honorée dans les carrefours, Hécate est une triple déesse (Hécate aux Enfers, Diane sur terre et Lune dans le ciel).

23. Né à la maison et donc traité familièrement.

24. L'Arménie symbolise les pays d'Orient, producteurs de parfums.

25. Thétis, divinité marine, avait coutume de se rendre portée par un dauphin dans une grotte du rivage de Thessalie, où elle fut surprise par le roi Pélée qui l'épousa.

26. Les sorcières étaient aussi des entremetteuses.

27. Techniques déjà dénombrées dans la comédie de Plaute et favorisant le repérage.

28. Tibulle célèbre ici l'anniversaire des 37 ans de Messalla survenu après son triomphe du 25 septembre − 27 : il associe les deux événements en un même hommage. En effet, après la victoire d'Actium, le 2 septembre − 31, Octave, nouveau maître de Rome, a chargé Messalla de missions en Orient et en Gaule. Tibulle a participé à cette deuxième expédition destinée à réprimer un soulèvement des Aquitains.

29. La province d'Aquitaine couvrait le sud-ouest de la Gaule, presque jusqu'à la Loire. Les Tarbelles habitaient la région de Dax ; et les Santons, la côte atlantique de la Charente-Maritime. L'Arar est l'ancien nom de la Saône. Les Carnutes peuplaient entre Orléans et Chartres, leur capitale, l'actuel territoire du département d'Eure-et-Loir.

30. Etapes du voyage en Orient pour exterminer en Syrie les gladiateurs restés fidèles à Antoine : 1) La Cilicie (le fleuve Cydnus, le mont Taurus), 2) La Palestine, La Phénicie (ville de Tyr) : provinces de Syrie, 3) L'Egypte que Messalla visite et où il rend compte à Octave de sa mission.

31. Le Nil, fleuve-dieu, et Osiris, dieu de l'agriculture et de la vigne, incarnent le prestige des religions orientales sur Rome. Osiris symbolise particulièrement la prospérité, la paix, l'art de vivre. Son âme est passée dans le corps du taureau Apis dont le culte célébrait les grandioses funérailles. Osiris est identifié à Bacchus en tant que bienfaiteur de l'humanité.

32. Les triomphateurs se devaient de financer des travaux publics : ici, la réfection d'une partie de la Voie Latine desservant Tusculum et Albe.

33. Allusion à trois procédés de divination : les sorts, l'inspection des entrailles par l'haruspice, et les auspices, science des augures qui interprétaient le vol, le chant ou la façon de manger des oiseaux.

34. L'amant éprouvé se compare à un esclave enchaîné et battu.

35. Pratiques de sorcellerie par incantations (ex : l'éclipse de lune) et importance de la magie chez Tibulle.

36. Pholoé, nom d'une inconnue.

37. L'évocation des Enfers, traditionnelle chez les poètes de l'Antiquité, a trouvé chez Virgile, dans le chant VI de l'*Enéide*, son expression la plus magistrale. Chez Tibulle, la damnation est le lot de tous ceux qui trahissent le culte de l'Amour.

38. Cérémonie printanière de purification des champs (mais aussi des troupeaux et des paysans) probablement à l'occasion de la fête des Ambarvales : une procession conduisait la victime expiatoire autour du domaine à purifier composé ici de vignes et de moissons. Les cornes de Bacchus signifient l'abondance. Les épis symbolisent Cérès.

39. L'agneau doit s'avancer de lui-même vers l'autel pour y être immolé.

40. Mode de divination : l'haruspice examine les extémités du foie de la victime.

41. Le Falerne, cru célèbre de Campanie qu'on adoucissait, au moment de boire, en y mélangeant du vin grec, ici du vin de Chio.

42. Les travaux de femme sont protégés par Minerve.

43. La flûte phrygienne, recourbée, d'une sonorité typique, servait surtout dans les sacrifices.

44. Les Songes « au pied incertain » étaient représentés par des adolescents boiteux.

45. Messalinus, l'aîné des deux fils de Messalla est élu au Collège des quinze prêtres du temple d'Apollon Palatin, dédicacé en − 28 et centre de la religion augustéenne. Lors d'événements graves, les quindécimvirs consultent les oracles des Livres sibyllins dont ils assurent la garde. Tibulle associe en un même éloge Messalinus et Apollon, dieu symbole de la prospérité du « siècle d'Auguste ».

46. La sibylle de Cumes, la plus célèbre des prêtresses d'Apollon, dieu des oracles, et qui prédit à Enée son avenir et celui de Rome.

47. Le quartier du Vélabre fut construit au pied de l'Aventin (entre le Capitole et le Palatin) sur des terrains asséchés, en bordure du Tibre.

48. Enée, divinisé après s'être noyé dans le Numicius, petit fleuve du Latium, fut vainqueur des Rutules et de leur roi Turnus, et fondateur de Lavinium sur le territoire de Laurente. La fondation d'Albe par son fils annonce celle de Rome, avec la naissance de Rémus et de Romulus, fruits des amours coupables de la vestale Rhéa Silvia et du dieu Mars.

49. Immersion du Soleil dans le fleuve Océan qui entoure la terre.

50. Amalthée, Hérophilé de Marpesos, Phyto de Samos et la sibylle de Tibur qui a sauvé des eaux un livre d'oracles : quatre des dix sibylles connues des anciens. Les prodiges énumérés signalent la guerre civile et la mort de César.

51. Messalinus obtiendra effectivement le triomphe en − 11 et sera consul en − 3.

52. Aemilius Macer, voir la notice biographique de Tibulle.

53. Une sœur de Némésis se serait tuée en tombant d'une fenêtre par accident.

54. Phryné, nom d'une entremetteuse.

55. Le 1er mars, ancien jour de l'an, était jour de fête du dieu Mars et grand jour de fête des femmes romaines qui, en cette occasion, recevaient des cadeaux.

56. Vertumne, dieu des saisons, dont les formes diverses représentent les transformations de la nature.

57. Tyr, ville de Phénicie, renommée pour son industrie de la pourpre et pour son commerce. Les tissus recevaient une double teinture.

58. Dieu du jour anniversaire : sous cette appellation, tout homme honore son « Génie », dieu de la personne et qui lui est associé à la naissance. Les femmes, elles, honorent leur « Junon ».

59. Memnon, fils de l'Aurore et tué par Achille à Troie.

60. L'élégie, d'après une étymologie qui signifierait « dire hélas », aurait d'abord convenu au thème du deuil.

61. Amour conduisit donc le deuil de Tibulle et celui d'Enée.

62. Iule ou Ascagne, fils d'Enée.

63. Vénus fut amoureuse d'Adonis, jeune chasseur célèbre pour sa beauté. Blessé à mort par un sanglier, il fut métamorphosé en anémone.

64. Linus, fils d'Apollon, enseignait l'art de la lyre à Hercule qui le tua.

65. Le mont Piérus, habité par les Muses aux confins de la Thessalie et de la Macédoine, est ici associé à l'éloge de l'universalité d'Homère.

66. Le lac Averne, en Campanie, passait pour une entrée des Enfers.

67. Voir la note 13.

68. Docte : ce qualificatif traditionnel pour les poètes convient particulièrement à Catulle, mort vers les trente ans, imitateur zélé de la poésie érudite alexandrine.

69. Calvus, orateur célèbre et « poète nouveau » comme son ami Catulle.

70. Allusion au suicide de Gallus, poète et grand fondateur de l'élégie latine. Certaines imprudences lui valurent l'abandon d'Auguste, pourtant son ami personnel et dont il détenait le poste de gouverneur d'Egypte.

TIBULLE

L'enfant de la campagne. Naissance vers l'an − 50 d'Albius Tibullus, sans doute à Gabies, au nord-est de Rome. Son prénom nous est inconnu. Sa famille appartient à l'ordre équestre : d'ancienne bougeoisie locale, elle a dû connaître l'aisance des grands propriétaires terriens, mais diminuée quelque peu dans ces temps troublés de la fin de la République. De 50 à 31, tout laisse supposer une jeunesse heureuse, une éducation soignée et l'influence exceptionnelle du terroir sur la sensibilité du futur poète de la nature : le décor pastoral des *Elégies*, toujours perçu nostalgiquement, rappelle les sites familiers d'une enfance rustique doucement vécue.

Le soldat-poète. Tibulle associe sa carrière à celle de M. Valérius Messalla Corvinus qui deviendra tout à la fois son protecteur et son ami. D'une famille illustre et de très ancienne noblesse, Messalla s'est rallié en 33 au parti d'Octave. Consul en 31, il participe à la bataille d'Actium. Tibulle figure dans son état-major ; mais, tombé gravement malade à Corfou, il doit abandonner l'expédition et rentrer bientôt en Italie. Pourtant, en 28 et 27, il se retrouve à nouveau aux côtés de Messalla dans une campagne menée en Gaule contre les Aquitains révoltés. Messalla vainqueur reçoit en 27 (l'année même du principat d'Auguste) les honneurs du triomphe, et Tibulle somme toute peu fait pour la vie militaire s'est conduit en soldat valeureux.

Publication, en 27, du premier livre de Tibulle composé de dix élégies, dont Ovide nous apprend que le succès fut immédiat. Cinq élégies sont consacrées aux amours de Délie. Tibulle la rencontra-t-il à Rome peu avant 31 ? Son vrai nom est Plania. Sa mère vit à ses côtés, elle est mariée, de basse condition, de mœurs libres et évolue dans le demi-monde du plaisir. Tibulle aura forgé sur cet amour un rêve de bonheur lumineux et transparent, mais bientôt un amant plus riche le remplace. Trois élégies racontent sa liaison avec Marathus, peut-être un bel esclave grec. L'amour que le jeune homme éprouve pour la méchante Pholoé apitoie le poète. Mais les coucheries du garçon avec un vieux débauché entraînent la rupture. Une élégie célèbre le triomphe de Messalla. La dernière (probablement écrite la première) est un hymne à la paix : Tibulle est un tendre ; l'adjectif « tener » est le qualificatif tibullien par excellence, répété vingt-deux fois dans ce livre I.

L'indépendant. Dans les huit dernières années de sa courte vie, de 27 à 19, Tibulle partage sans doute son temps entre son domaine rural de Pedum et des séjours à Rome où il fréquente le cercle de Messalla, très choisi, très hellénisant, composé des plus brillants esprits ; haute société réunie sous le signe de l'amitié et de l'éclectisme. On y compte Valgius Rufus, du même âge que Tibulle, poète bucolique, orateur et théoricien, auteur d'épigrammes et d'un traité sur les remèdes tirés des plantes, et... futur consul ; Aemilius Macer, poète de l'amour et poète savant, auteur de trois grands traités sur l'origine des oiseaux, les serpents et animaux venimeux, les remèdes aux venins et poisons, qui influenceront Ovide ; lequel, plus jeune et tard venu, fut l'ami et l'admirateur de Macer et de Tibulle. Messalla, quant à lui, poète féru de Théocrite s'avère un orateur fort estimé. Mais la personnalité la plus en vue de ce cénacle est assurément Tibulle : Lygdamus (un frère aîné d'Ovide ?) l'imite ouvertement dans ses élégies à Neaera. Tibulle, imitateur à son tour, prend pour thèmes de variations poétiques quelques épigrammes de Sulpicia, où la jeune et jolie nièce de Messalla chante son ardente passion pour Cérinthus. Messalla a donc créé autour de lui, dans sa maison du Palatin, un milieu très convivial où la liberté domine : de pensée et d'inspiration. On y cultive un certain élitisme, un art d'une élégance sobre et raffinée, un idéal proche de la nature et merveilleusement accompli dans l'épanouissement individuel. Du côté du palais de l'Esquilin, par contre, chez Mécène, animateur du cercle à la fois ami et concurrent, la création se veut héritière d'une tradition nationale et consolide des liens avec le pouvoir.

Ces années voient l'apparition d'œuvres maîtresses : les *Elégies* de Properce et, en 23, les trois premiers livres des *Odes* d'Horace ; Virgile, qui avait publié les *Géorgiques* en 28, lit en 23 à Auguste les premiers chants de l'*Enéide* en cours de rédaction. Tibulle écrit un second livre d'élégies dont on ignore s'il fut publié de son vivant et qui contient peut-être son chef-d'œuvre : un éloge de la campagne en fête. Suivent trois élégies consacrées à Némésis, une âpre et sans doute très belle courtisane avec qui le poète tente de revivre l'amour de Délie, mais dans des conditions catastrophiques. Peut-être le surnom de « Némésis » qui signifie « châtiment » a-t-il été choisi pour suggérer l'insupportable épreuve que fut cet amour. Distinguons l'éloge de Rome en même temps que celui de Messalinus, fils de Messalla, élu quindécimvir, grand poème admirable et trop méconnu.

Tibulle meurt, semble-t-il, en − 19, la même année que Virgile. Sa mère et sa sœur, comme le raconte Ovide, ainsi que Délie et Némésis assistent à son enterrement.

La postérité. Tibulle, si singulier de ton et d'inspiration, incarnant si bien les valeurs du classicisme par la fluidité musicale et la spontanéité harmonieuse de son art, fut, non pas certes un isolé, mais un indépendant, considéré dans l'Antiquité comme le premier poète élégiaque. Avec le temps, sa renommée s'est sensiblement amoindrie, supplantée par celle peut-être historiquement mieux repérable de Properce ou même d'Ovide. Tibulle réapparaît à la Renaisssance et connaît ses heures de gloire au xviiie siècle. Les trente dernières années de ce siècle de la nature et les trente premières années du siècle suivant l'intègrent à l'inspiration romantique et assurent sa consécration.

ORIENTATION BIBLIOGRAPHIQUE

ÉDITIONS

K.F. Smith, *The Elegies of Albius Tibullus*, New York, 1913.
M. Ponchont, *Tibulle et les auteurs du Corpus Tibullianum*, Paris, Les Belles Lettres, 1926. Réimpression en 1989. (C'est au texte latin de cette édition que nous nous référons dans le présent volume.)
J. André, *Tibulle, Elegiarum liber primus*, Paris, PUF, 1965.
F. Della Corte, *Tibullo, Le elegie*, Firenze, Mondadori edit., 1980.
G. Lee, *Tibullus, Elegies*, Liverpool, 2ᵉ éd., 1982.
F.W. Lenz-G.K. Galinsky, *Albii Tibulli aliorumque carminum libri tres*, Leiden, Brill, 1983.

ÉTUDES SUR TIBULLE
A. Cartault, *Tibulle et les auteurs du Corpus Tibullianum*, Paris, Armand Colin, 1909.
P. Grimal, Le roman de Délie et le premier livre des Elégies de Tibulle, *Revue des Etudes anciennes*, LX, 1958.
W. Wimmel, *Der frühe Tibull*, München, 1968.
D.F. Bright, *Haec mihi fingebam, Tibullus in his world*, Leiden, Brill, 1978.
F. Cairns, *Tibullus, a hellenistic poet at Rome*, Cambridge Univ. Press, 1979.

Actes de deux colloques organisés, pour le bimillénaire de la mort de Tibulle, en Espagne et en Italie :

— *Simposio Tibuliano*, Universidad de Murcia, 1985.
— *Atti del convegno internazionale di studi su Albio Tibullo*, Roma, 1985.

A. Foulon, *Revue des études latines* :

— Tibulle II,3 et l'alexandrinisme, tome 58, 1981.
— Tibulle II,5 : hellénisme et romanité, tome 61, 1984.
— Les « laudes ruris » de Tibulle II, 1, 37-80 : une influence possible de Lucrèce sur Tibulle, tome 65, 1989.
— L'art poétique de Tibulle, tome 68, 1991.

À CONSULTER

M. Bonjour, *Terre natale, Etudes sur une composante affective du patriotisme romain*, Paris, Les Belles Lettres, 1975.
P. Grimal, *Le Lyrisme à Rome*, Paris, PUF, 1978.
P. Grimal, *L'Amour à Rome*, Paris, Les Belles Lettres, 2ᵉ éd., 1979.

Actes du colloque international organisé par la Faculté des Lettres et Sciences humaines de Mulhouse, en mars 1979 :

L'Elégie romaine, enracinement, thèmes, diffusion, Paris, Ophrys, 1980.
M.F. Rouvière, *La Femme, la mort et le genre élégiaque chez Tibulle, Properce et Ovide*, Thèse, Montpellier III, Lille, 1981.
P. Veyne, *L'Elégie érotique romaine*, Paris, Seuil, 1983.
J.N. Robert, *La Vie à la campagne dans l'Antiquité romaine*, Paris, Les Belles Lettres, 1985.

TABLE

ACHEVÉ D'IMPRIMER
EN MARS 1993
SUR LES PRESSES DE
L'IMPRIMERIE DU PAQUIS
70400 HÉRICOURT
DÉPÔT LÉGAL : 1er TRIMESTRE 1993

ISBN : 2-7291-0893-9
ISSN : 0-993-8672